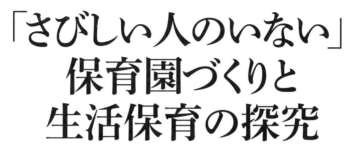

「さびしい人のいない」保育園づくりと生活保育の探究

学校との関係を問い続けた
ある保育園の実践史に学ぶ

渡邉保博

新読書社

「さびしい人のいない」保育園づくりと生活保育の探究
—学校との関係を問い続けたある保育園の実践史に学ぶ—

目　次

3

6

1 はじめに—近年の保育政策の動向と保育の「学校」化への懸念

　近年,「子ども・子育て支援新制度」(2012) と連動して,「保育所保育指針」「幼稚園教育要領」「幼保連携型認定こども園教育・保育要領」などが改定 (訂) されました。

　この改定 (訂) を通して, 保育所は, 幼稚園・幼保連携型認定こども園などとともに「幼児教育の一翼を担う」施設とされました。また,「保育所保育指針」は,「教育」に関わるねらい及び内容について,「幼稚園教育要領」及び「幼保連携型認定こども園教育・保育要領」との整合性がはかられました。その結果, 保育所は, 幼稚園・幼保連携型認定こども園とともに, その「教育」面において「学校教育の一翼」を担うことが求められるようになりました。

　その際,「幼児教育を行う施設」として「育みたい資質・能力」として,「知識及び技能の基礎」「思考力, 判断力, 表現力等の基礎」「学びに向かう力, 人間性等」が示されました。この「資質・能力の三つの柱」は,「義務教育を終える段階で身に付けておくべき力」をとらえる観点, つまり「学力の三要素」を「幼児教育の特質を踏まえ, より具体化」[1]したものでした。

　この「学校教育」の基本的な枠組み (「学力の三要素」) と関連づけて「幼児教育」の目標や内容を計画することは, 保育所保育や幼稚園教育などの「学校」化をもたらすおそれがあるのではないでしょうか。

2 近年の OECD 加盟国における保育（課程）改革と保育の「学校化」

近年，OECD 加盟国でも，それぞれの社会・経済的な事情を背景に保育（課程）改革が進むなかで，保育の「学校化」が問題になっているといわれます。

1)「学校化」をめぐる2つの問題

①「保育方法」からみた「学校化」

この「学校化」について，大別して2つの問題が指摘されています。その1つが，「保育方法」からみた「学校化」問題です。[2]

Kaga らは，保育の「学校化（schoolification）」とは，「乳幼児の教育学に，学校システムのアプローチ（教室の構造，カリキュラム，教授法，子どもとスタッフ比率，および子ども期の概念）を前倒しにしていくような圧力がかかること」であると述べています。[3]

②保育の「学校化」問題のもう1つのポイント――「福祉」領域からの「分離」

しかし，保育の「学校化」問題には，少なくとももう1つの問題があるようです。それは，小玉亮子が，ドイツの「学校化」について，「従来社会・福祉系列に位置づけられてきた就学前教育・保育の学校化」[4] を問題にしていたことにかかわっています。Bennett

らも，「（保育が）学校教育制度に統合されることに伴うリスク」は，「保育サービスが，開所時間，職員配置，おとなと子どもの比率，ペダゴジー，物理的環境に関してより『学校に似たもの』になる」とともに，「保育が福祉，保健，その他の関連領域から分離することである」[5]と述べていました。

　つまり，保育園が「福祉」関連領域から「分離」し，「学校」系列に組み入れられることによって起こる問題も含めて，「学校化」問題を考える必要があるということです。

2）わが国における保育の「学校化」問題の検討

①「保育方法」に焦点化した検討とその問題

　わが国における保育の理論的・実践的研究において，保育の「学校化」問題，あるいは保育・幼児教育と学校教育との区別と関連をどう考えるかという問題は，主として「（広義の）保育方法」[注1]の異同，つまり「保育の目標，内容，計画，環境，技法」などの異同に焦点をあてて論じられてきたようです。

　しかし，保育の目標や内容，学級編成，「場」のあり方（「生活の場」「昼間のお家」）など「保育方法」の異同に注目するだけでは，学校に対する保育所・幼稚園の独自性を示すことはできません。なぜなら，保育・幼児教育は，「遊び中心の方法改革」などによって小学校に対する独自性・固有性を探求してきましたが，同時に，「何か教科的な，課題を一斉に与えないと気がすまないという体質は根深い」[6]ともいわれてきたからです。あるいは，保育所における同年齢クラス編成は「小学校のクラス編成を当然そうでなければならないかのように無批判に，受けとって」[7]きたやり方にすぎな

い，という指摘もあるからです。もしそうだとすれば，学校の教育「方法」が保育所・幼稚園の保育「方法」に影響を及ぼしてきた面があるといえます。

　また，保育所・幼稚園は「生活の場」といわれますが，学校も「生活の場」という性格を持たされてきたという指摘もあります。[8] ということは，保育・幼児教育の「方法」原理は学校教育の「方法」原理でもあったということができます。

　ところで，保育園が「福祉」関連領域から「分離」し，「学校」系列に組み入れられることによって起こる「学校化」問題の検討は，充分に行われてきたとはいえないようです。その理由の1つは，わが国では保育園と学校とは制度的に別系列であり，両者の連携・接続は問題になっても，保育園が「福祉」関連領域から「分離」し「学校」系列に組み入れられることはなかったため，上記のような「学校化」問題を論じる必要がなかったからではないかと思います。

②学校と保育園の制度・実践原理の異同に注目した実践研究

　しかし，先の「学校化」をめぐる2つの問題を視野に入れて，保育園（保育）の制度・実践原理と学校（教育）の原理との違いを明るみに出した実践研究もありました。つまり，保育園が「福祉」関連領域から「分離」し「学校」系列に組み入れられる際の根本的な問題も視野に入れて，保育園と学校の違いに切りこんでいった実践研究はあったのです。

　その1つが，1960年代後半〜1970年代半ばにかけて展開されたつくし保育園（滋賀県大津市）の実践研究です。そこで中心的な役割を果たした1人が清水住子（1937〜）です。清水は，同園での実践

的な探求もふまえながら，保育園と学校の制度・実践原理の根本的な違いを次のように整理しました。[9]

　すなわち，学校の制度・実践原理は「みんな同じ」という特質をもち，「生活の条件とか経済的条件，地理的条件とかそういうものを無視してまったく同じ条件のもとに教育を受けさせます」と。

　清水によれば，「みんな同じ」という原理は両義性をもつといいます。一面では，「経済的，地理的条件」の違い，あるいは「親が教育にたいして無関心」など「家庭的条件」の違いによって「当然，身につけるべき教育が受けられない」子どもがいないように，教育の機会をみんなに均等に保障することであり，「そのことはとても大事」だと。

　その反面で，学校教育は個々の子どもと家族の「生活の条件」「生活の問題」というものを「まったく無視して」行われるといいます。その点で，学校の制度・実践原理は，親の生活条件や経済的条件によって保育料，登降園時間が違う子どもたちを「そのまま受け入れながら保育」する保育園の制度・実践原理と鋭く対立するとみていました。[注2]

　あるいは，保育・教育の目標や内容の原理も，学校と保育園では大きく異なるといいます。つまり，学校教育は「目標はみんな同じ」で「同じ方向に向かってみんなが限りなく同じ状態を目指す・・その覚え方，理解の仕方も均一化され」ているとみています。しかし，保育園は「異質なものを受け入れながら，かつ，一緒に生きていく」場であり，「とても曖昧でややこしいこともいっぱい存在するわけですが，そのことが生活を豊かにしていく芽になっていく」のだというのです。

　以上の点で，「保育所は乳幼児学校ではない」ということになり

11

ます。

　この学校の制度・実践原理とその問題については，今日の学校
論・学校文化論の研究者，あるいはケア論・貧困問題の研究者も清
水と同様の指摘をしています。つまり，学校は「みんな同じ」とい
う「しくみ」や「システム」によって運営されている。そのため
に，子どもと家族の生活状況（特に，今日の貧困問題に象徴され
る）が見えにくくなっているというのです。注3)

　ということは，清水の保育園（保育）観は，今日の「学校化」問
題を考える1つの重要な切り口を，先駆的に提起していたといえま
す。

清水住子とつくし保育園の実践的探求 に学ぶために

1）先行研究について

　清水住子とつくし保育園の実践的探求については，①つくし保育園の沿革史の紹介[10]，②同園の「民主的な保育者の集団づくり」に焦点を当てた論稿[11]，③障害児保育史における同園の「先駆」的役割に注目した研究[12]などがあります。しかし，清水とつくし保育園の保育者たちの「保育所は乳幼児学校ではない」という保育園観に焦点を当てた研究はないようです。

　以下，清水住子とつくし保育園の保育者たちが，どのようなプロセスを経て「保育所は乳幼児学校ではない」という保育園観を形成していったかを検討し，その歴史的な意味を明らかにしてみたいと思います。

2）なぜ，つくし保育園の実践とその記録に注目するのか

①保育園と学校の違いを「はっきり」意識しはじめた時期の実践

　清水住子は，滋賀県大津市のつくし保育園（1968～1976/1971～主任）で勤務したのち，大阪府堺市のいづみ保育園（1977～1993）で園長として活躍しました。

　ここでは，清水のつくし保育園時代に注目してみたいと思いま

す。その理由は，同園の記念誌に，「保育園で起こりうる問題のほとんどを・・つくし保育園時代に体験し，いい方向で実践していた」というメッセージが紹介されているからです。[13)

　また，当時の清水や同僚の保育者たちの実践，特にその障害児保育に注目したいと思います。なぜなら，その模索を通して，清水や同僚の保育者たちが保育園（保育）と学校教育との違いを明確に意識しはじめていたからです。聞き取り調査においても，清水は，「つくしでは障害児保育のことですね，一番学んだのはね」[14)といい，「（保育園が）学校ではないっていうのは，つくしの時ははっきりそうでした」[15)と述べています。

②いづみ保育園の初期の保育への影響から―保育園は「教育」の場や「教室」空間ではない

　また，清水は，「保育園は生活するところであって学校ではないんだっていうことをつくしの時にやっぱり相当しっかり思って，それで，いづみを建てる時にそれをものすごく中心にした」[16)と言います。実際，いづみ保育園の創立には，つくし保育園で形成された保育園（保育）観（「生活を基礎」に置く，食を大事にするなど）が，大きな影響を与えています。

　同時に，いづみ保育園の立ち上げとその後の保育のなかで，つくしで培った保育園（保育）観を発展させています。その好例は，保育園という建物のコンセプトとその実際の構造です。というのは，清水は建築家集団と議論を重ねながら，保育園という建物は「教育」のための場や「教室」のような空間ではなく，「90名の子どもと20名前後の保育者が住む大きな住居」[17)という観点から園舎を設計しているからです。[注4)

　また，この保育園＝「大きな住居」では，保育の「中心」を食べることにおき，園舎の構造についても，「厨房で働く給食の先生との関係も保育の中にすぐ見えるように，厨房と食堂を直結させてそれを建物の真中に持って」いきました。職員についても，90人定員では調理の職員配置基準は２人でしたが，「（当時の）大阪府では１人の増員が認められ・・さらに乳児をやっているところには１人加配」されました。そこで，離乳食関係に１人と幼児食関係に１人増員し，４人体制で調理業務を行うことにしました。あるいは，「普通常識で考えたらこのぐらいだろうと思える1.2〜３倍のお金を給食費につぎこんで，食べることを大事に」し，「給食の時間が１日のハイライト，というキャッチフレーズを作って，大人も子どもも，とにかく食べることを楽しもう，ということで一致して」[18]保育にとりくんだといいます。[注5]

　こういったとりくみは，当時，職場の「少数派」であり「縁の下の力持ち」「日陰の身」[19]として保育の「周辺」[20]に置かれがちであった給食（調理員）を，保育の「中心」にもってくることになりました。そのことは，「給食を保育のなかにいつも考えていてくれている事，外来者にも給食を自慢してくれる事など，先生方の気持ちが私たちのはげみになっています」[21]という調理員の喜びにつながっていました。

　こういったところに，「保育所は乳幼児学校ではない」という保育園（保育）観がくっきり示されています。

③つくし保育園という個別の園の実践とその記録に注目するのはなぜか

・保育園保育のあり方は，各園の実践的な模索を通してつくられていく

　ところで，つくし保育園という個別の園の実践に注目するのは，保育園（保育）のあり方が，各園の職員相互の価値観の共鳴，対立，相克のなかで時間をかけて形成されていくからです。

　同様に，「保育所は乳幼児学校ではない」という保育園観もまた，その時代・地域における各園の保育者たちの保育園（保育）観がぶつかりあい，共鳴しあいながら形成されていったのです。しかも，その形成過程は，園によって多様だったでしょう。したがって，１つの園に焦点を当て，その保育と保育園観が形成されていくプロセスを検討するという事例研究的なアプローチが有効です。また，他の園についても同じ検討を積み重ねることによって，保育園と学校の違いに関する実践の側からの理解の進展を，多角的に明らかにすることができるでしょう。

・実践の「個別性をそれ自体として尊重する」ため

　検討にあたっては，つくし保育園といづみ保育園時代の初期の実践記録を中心的に用います。なぜなら，清水と両園の保育者たちは，実践の主体者として，保育の問題について職員同士で徹底して話しあうとともに，実践記録を書き，園外へも積極的に発信しながら保育のあり方を模索してきたからです。

　福祉実践の記録論と実践主体の形成に深い関心を持つ大泉溥もいうように，そもそも「実践記録づくりという現場的研究」において，「個々の実践記録の内容はそれ自体としての個性」があるので

す。しかし，保育・福祉実践（史）における事例研究では，「すぐれた実践を社会福祉の『代表例』」と見なして「理論化」し，「『模範例（モデル）』として模倣しやすい形に整理」して普及させようとしてきたこともありました。しかし，この「模範例を普及するといった考え方には実践主体の欠落という本質的な問題があった」といいます。

　そういう実践（記録）の「模範」主義による「実践主体の欠落」という問題を克服するためには，「実践記録の読み取りは・・それぞれの実践事例の個別性をそれ自体として尊重すること（"普遍は個別に宿る"）を基本」とすること，そして「個々の実践にはそれぞれなりの価値がある」[22] ことを理解して検討することが求められるというのです。

　清水自身も，主著『荒地に育つつくしんぼ』の「はじめに」や「付記」において，「つくし保育園の実践は，決してスマートでありません。とくに進んだ保育内容を誇るというものでもありません。今日の保育がかかえている問題を１つひとつ，何とか解決しなければならない問題と受け止め，実践をきりひらく立場で話し合いながら，みんなで努力し，くふうしてきた過程そのものでした」と記しています。

　この「とくに進んだ保育内容を誇るというものでもありません」という立場から，長時間保育・産休明けゼロ歳児保育・障害児保育・保育者の休憩時間など「（当時の）日本でごく普通に起こっている保育にかかわる諸問題・・をさけることなく，真向からぶつかり，泥まみれになりながら，１つひとつを園全体で解決していった過程」をまとめたつくしの実践記録。それは，時代の保育問題と切り結んだ１つの園の「個性」的な歴史の証言といえるでしょう。

④つくし保育園時代といづみ保育園時代の初期の史資料と利用等に関する倫理的配慮

つくし保育園及びいづみ保育園の初期の実践にかかわる清水や同僚の保育者の実践記録や論稿は多数あります。

たとえば，清水の主著『荒地に育つつくしんぼ』[注6] とその草稿をはじめ，全社協保母会・全国私立保育園連盟・全国社会福祉協議会・全国保育団体連絡会などの保育団体が刊行した研究報告書・書籍・機関誌に掲載された実践記録や論稿などです。あるいは，『季刊保育問題研究』『保育の友』『保育ノート』など保育の専門雑誌に掲載された論稿もあります。さらに，同時期の両園の中間総括や年度末総括，対外的な実践報告，クラスだよりや園だより，職員会議録や事務連絡，職員・保護者アンケート，記念誌なども貴重な史資料です。

なお，これらの史資料の利用等については，つくし保育園及びいづみ保育園と連絡をとり，研究の趣旨を文書で説明し，結果の公表とその方法について了解を得ました。また，本研究は，筆者が佛教大学在職中に着手した研究であり，所属先の倫理委員会の承認を受けています。

4 つくし保育園における障害児保育の あゆみ—制度化を求めて

1）つくし保育園の立ち上げと障害児保育

　つくし保育園は，1960年代の高度経済成長の時代に，若い共働き世帯を中心とする地域住民の保育要求を受けとめ，1965年4月に「共同保育所」として開園しました。その後，1967年8月に社会福祉法人（定員60名）として認可され，1969年に90名定員となりました。1971年4月には移転して新園舎を建設し，120名定員（乳児60人，幼児60人）となりました。

　同園の立ち上げとその後の保育には，「地域の保育所運動の拠点とし，よい保育の実践を行い，民主的な保育園として発展させていく」[23) という関係者の願いが貫かれていました。

　つくし保育園は，園の保育方針として「働くものの生活と権利を守る保育園」「差別・選別を許さない保育内容」「民主的運営」という「3つの基本線」を掲げていました。そして，開園以来，産休明けゼロ歳児保育，長時間保育（7時30分〜18時30分）とともに，清水が「一番学んだ」という障害児保育にとりくんでいきました。これらのとりくみはそれぞれが自己完結するものではなく，お互いを制約したり影響を与えあいながら進展していったのです。

　ここではまず，障害児保育をめぐる全国的な状況を概観してみましょう。そのあとで大津市における障害児保育の制度化とつくし保

育園の果たした役割についてみておきたいとおもいます。というのは，つくし保育園の障害児保育は，全国的な動向を強く反映していたからです。また，同園の障害児保育は，①その所在地の自治体（大津市）における制度化を求める運動に支えられるとともに，②制度化によってその実践が大きく発展したからです。それだけでなく，③つくし保育園の実践が，その制度化に大きな影響を及ぼしていたからです。

2) 制度化以前において障害乳幼児がおかれた全国的な状況

①「放置」され締め出される障害乳幼児と家族

　まず，障害児保育をめぐる全国的な状況を概観しておきましょう。ここで注目したいのは，つくし保育園が障害児保育を行っていた時代，障害乳幼児が保育・教育を受ける場は極めて少なかったということです。[注7]

　障害乳幼児を受け入れる場が少なかった理由は，なによりも受け入れるための「客観的条件」[注8]が極めて貧弱だったからです。また，保護者にとっても保育料が高く「入園させたくても入園させられない」という事情もありました。[注9]さらに，実施をめぐる保育者の不安などの「主体的条件」[注10]も見過ごすことができません。

　宮下俊彦によれば，このようなきびしい保育条件が「改善されない段階では‥いわゆる手のかかる子どもはおことわり，障害のある子はしめだすということが行われ，それはあたりまえのことのように定着」していったそうです。障害をもつ幼児の親たちは，「なんとかして，保育所や幼稚園に子どもを入れてほしい」と願い，「園から園へ，ことわられても，またことわられても，頼みにいき

ました。しかし，その扉はかたかった」[24] のです。

②受け入れた障害児の「中途退園」「切りすて」

・園側の対応

当時の保育園は，障害乳幼児の受け入れに対し「拒否的」だった
だけではありません。制度化以前はもちろん，制度化後であって
も，障害児保育の実施条件は大変きびしく，「障害児を受け入れて
いる園では，そうとうのむりをして，保育者のいちじるしい労働過
重を引き起こしながら実践」していました。その結果，「『おとなし
い，手のかからない障害児』は入園していてもお客様的存在で数年
間を過ごすか，逆に『動きまわる，手のかかる障害児』は，退園を
余儀なくされるか・・といった2つの方向を両極としながら，極め
て不安定な園生活を送らざるをえない状況にあった」そうです。

注7で紹介した神奈川県小児療育センター調査にも，「中途退園」
の実態が紹介されています。それによると，「障害または問題を持
っている子どもの『退園』など」に関する質問項目について回答し
た121園のなかで，「障害又は問題を持っているため退園させたこと
がある」と回答したのが101園（83.3％）もありました。そのう
ち，「他の機関・施設につないだ」と回答したのは10園（9.9％）の
みであり，「退園させっぱなしである」は91園（90.1％）だったの
です。[25]

・親も不安をかかえる

親も，「中途退園」への不安を持っていました。

障害児保育が定着しつつあったつくし保育園でも，その不安を浮
き彫りにした事件がありました。それは，制度化後の1974年に入園

したF君が「いなくなってしまった」という事件です。職員は両親といっしょにF君を探し回ったところ,「F君はひるねのふとんのおし入れの中にはいっていた」ので,大事に至りませんでした。

清水は「事なきをえてホッと」し,「生きているここちもなかった」はずの両親にひたすらおわびをしました。そのとき,F君の母親が涙をふきふき,「先生,これにこりずに明日からもFをお願いします」といったのです。その言葉に清水は一瞬混乱し,「こらえていた涙がどっとあふれ」,母親がいうべきは「先生,こんなことでは安心してあずけられないじゃないですか,こんなことは2度と起こしてもらったら困ります」ではなかったかと思うのでした。

同時に,母親にこんな言葉をいわせる背景には「障害児が背負っている社会的重圧」があることにも目を向けます。つまり,「つくし保育園においてさえ,園内の事故が退園と結びつき,退園させられることを恐れ,事故は我が身の責任とひきさがって,このことばを親にいわせている」という「障害児のおかれている社会的存在のきびしさ」[26]をつきつけられたのでした。

③障害児の入園拒否や「中途退園」問題の核心は何か

障害児の入園拒否や「中途退園」という大きな壁。その問題の核心は何だったのでしょう。

この「中途退園」問題を取り上げた東京都による「児童のシビル・ミニマムに関する調査」(1973年9月)によれば,「たまたま,保育園などに『まぎれこんだ』軽度の障害児に対しては,現在の保育条件の中ではよりていねいな働きかけもなされずに,お客様的存在で終始するか,中途退園を余儀なくされ」ていたそうです。それどころか,「保育園が『心身ともに健康であり,集団生活に適応で

きる子どもを措置するところ所であることを法令化してほしい』
『入園後に障害が発見された場合は，速やかに保護者，保育園，福
祉事務所，三者の話し合いのうえ措置を解除して欲しい』と，障害
児を一般保育施設から制度的にしめ出そうとする動きがあり，実際
にそうした切りすても行われている」（下線－引用者）という実態
もあったそうです。[27]

　この点に注目した田中謙は，「障害児の集団生活の場の保障によ
る教育・保育の権利の保障は困難な」[28] 状況にあったといいます。
しかし，問題はそこにとどまらないでしょう。つまり，保育園が
「心身ともに健康であり，集団生活に適応できる子どもを措置する
ところ所」になるなら，「（心身ともに健康な）乳幼児を保育する」
施設ではあっても，「保育に欠ける乳幼児を保育することを目的と
する児童福祉のための施設」[29] ではなくなってしまいます。という
ことは，障害児の入園拒否や「中途退園」は，保育園の「目的」と
その「福祉」的性格を問う大問題であったといえます。

3) 大津市における障害児保育の制度化の概略

①制度化を支えた重層的で広範なとりくみ

　このような入園拒否や「中途退園」などが広範に存在するなか
で，保育施設に障害児を受け入れてほしいという保護者や関係者の
要求は切実でした。そして，「制度として・・保障されないかぎ
り，（障害児を）完全に受け入れることはできない」[30] ことを確認
し，大津市をはじめ各地で障害児保育の制度化をめざす運動を展開
していきました。

　大津市における障害児保育の制度化の詳細は，関連の先行研究に

ゆだね，ここではその概略のみ示しておきます。

　大津市では，①長い地道な乳幼児健診活動，②「1人では背負い
きれない悩み，苦しみ，悲しみをもった」19名の親たちが仲間を求
めて結成した「大津市障害児父母の会」（1968年7月発足）の活
動，③民間保育園での自主的・主体的な障害児保育のとりくみ等を
ベースにして制度化の運動がすすみました。その後，多くの福祉施
設（びわこ学園，近江学園など）で働く福祉・教育労働者たちが組
織した運動との共闘，「障害児（者）の生活と健康を守る滋賀県連
絡協議会」（1970年）との連携など，「障害児の人として発達を保障
する権利を守ろう」とする広範な運動の広がりをバネにして，1972
年に革新市政を実現させ[31]，1973年（「保育元年」）に「全国で初め
て」[32] 障害児保育を制度化させていったのです。それと同時に，全
国の各自治体における制度化を求める運動へも貢献していきました。

②要求運動を支えた保育実践

　このプロセスで，「先駆的に障害児を保育している保育園は・・
注目の的」となりました。たとえば，つくし保育園のとりくみのな
かで「（4歳・5歳で入園したAちゃんやCちゃんが）入園8か月
で歩いた」ことなどは，障害児保育の制度化をめざす要求運動を
「実践的に裏付け」るとともに，「幼稚園・保育園に入れてほしいの
声はさらに大きくなり，自信と確信にみちたもの」になりました。

　保育者たちも「実践が運動をささえる」ことを願って，自分たち
の実践の「ありのままをまとめ」，「失敗したことも，困ったこと
も，不安も，そしてAちゃんが歩いたことも，保母たちが学んだこ
ともみんな園の外へ持ち出して」話し，文章にも書いて報告しまし
た。Aちゃんの母も障害児父母の会で積極的に話しました。

　そして，これらの保育者や保護者の話や報告が，「障害児を受け入れようかと迷っている園，障害児の保育で行きづまっている保母さん，障害児を外に出すことにちゅうちょしている父母の人たちに，まず一歩をふみ出す勇気を与えて」[33) いきました。発達研究者であり，つくし保育園の保護者の1人でもあった田中昌人もいうように，「外への運動は中の実践のたしかさに根づいて強くなっていくのであり，保育園の中への深まりと外へのひろがりは，親や地域社会のほこるべき伝統になって」[34) いったのです。

③制度化の意義

　大津市で障害児保育が制度化された当時，厚生省が障害児保育に対して一定のとりくみを始めていました。その影響もあって，全国の自治体のなかに障害児保育の制度化を行ったところも少なくなかったのですが，実施の形態や内容は各自治体によって多様でした。そのなかで，大津市における制度化には，いくつかの特徴がありました。

25

・希望する障害児の「全員入園」

　その特徴の1つは，「父母の希望する障害児全員を幼稚園，保育園に受け入れ」たことです。保育園の場合，「すべての園が障害児を受け入れることを申しあわせ，結果的に全入を支え」ました。その際，「共働きが前提ではなく，『障害を受けている』ことが『保育に欠ける』条件としてみとめ」られました。[35)

　「全員入園」によって障害児の受け入れは大きく進展しました。たとえば，制度化前の1972年3月の時点で卒園の「喜びを味わった」のは大津市内で2，3名の保護者にすぎませんでした。しか

し，制度化後の1974年3月には，「この喜びを持つお父さん・お母さんは70名になった」[36] といいます。

・「ノーマリゼーション」と「インテグレーション」の思想と実践

特徴の2つめは，「すべての（保育）園が障害児を受け入れる」という形での希望者「全員入園」は，「障害児をその地域の子どもとして，原則的にその地域の園に普通児と同じ一園児として措置し，保育」[37] することでもあったのです。ここには，北欧や西欧の「ノーマリゼーション（Normalization）」と「インテグレーション（Integration）」の思想と実践が影響していたようです。

当時，障害乳幼児の集団保育の必要性を提起していた宮下俊彦は，この思想と実践の意義にふれ，「ノーマリゼーションとは，あたりまえの状態にするということ」であり「インテグレーションは，ノーマリゼーション‥を実現するための1つの方途」であると述べていました。また，障害児（者）への関わりや療育においても，その歴史の教訓〜社会からの「保護」と「隔離」及び障害別の「教育や訓練」などの限界〜をふまえて，「できるだけあたりまえの環境の中で，近隣の子どもたちから孤立されていない世界の中で，障害児の療育をする」こと，「幼児についていえば，大部分の子どもの生活の場である保育所や幼稚園で，みんなといっしょに保育しようとする」こと，つまり「インテグレーション」がめざされるようになったと書いています。[38]

この著書の初版は1975年ですが，宮下はそれ以前からつくし保育園との接点があり，同園の障害児保育に関心を持っていました。というのは，1974年に刊行された『障害児保育を考えるために』（全国社会福祉協議会）において，宮下は全社協保育協議会保育所問題

研究会委員長として「まえがき」を書いていますが，同書では，つくし保育園長の鈴木弘一も「大津における障害児の制度」[39]を執筆しているのです。

　また，宮下は，その著『ふだん着の保育』（1979）に，清水の主著『荒地に育つつくしんぼ』に関するコメントを執筆しています。そのなかで，「障害児と保育について語る時，大津市の実践をぬきにしてすることはできません‥その大津市の実践の推進的役割をつとめたものの１つとして，つくし保育園をあげることができます。私は，何度かこの園を訪れましたが，そのたびに，新鮮なおどろきを感じたものです」[40]と書いています。清水住子も，「宮下先生にかわいがってもらった」し「お手紙もいくつかもらって」いる[41]といいます。

　こういったつながりも含め，宮下の「ノーマリゼーション」と「インテグレーション」の思想が，大津市やつくし保育園の障害児保育に何らかの影響を与えたのではないかと思われます。

・「保健」・「医療」・「保育」の３側面を結合して

　特徴の３つめは，単に障害児保育の問題としてだけではなく，①乳幼児健診と指導の体制づくり，②乳児・障害児（者）の医療費の公費負担の実施，③障害児を含む保育行政の充実という３つの側面を結合して行われていたことです。この点も，「全国の注目に値するもの」でした[42]。

・条件整備が進む

　特徴の４つめは，障害児を受け入れる公私の幼稚園・保育園の全園に対し，「裏付け補助」が行われたことです。

具体的には，①各保育園に保育者１名を増員配置（公立は１名増員，私立は年額84万9000円支給）するとともに，②障害児の受け入れ人数によって補助金を支給（1973年度：１人の場合は月額１万円，２人の場合は月額2.5万円，３人目からは１人増ごとに２万円増）する。③幼稚園は公立に入園させ，養護教諭を配置する。また，④入園に際しては，大津市健康センターの発達相談室，教育事務所の家庭児童相談室，保育園と協議して決定する，⑤障害児保育を指導するため，月１回，健康センター・家庭児童相談室係員が巡回する，⑥障害児保育研修会を開催する，などでした。[43]

④保育者たちの不安や動揺と「実践者の立場性」

・障害児保育の実施に直面した保育者たちの不安や動揺

　こうして大津市において障害児保育は制度化され，その実施体制も整備されていきました。1973年（「保育元年」）には，入園を希望した66名の障害児全員が入園しました。５歳児は，希望者全員が幼稚園入園という制度だったので，66名中42名の５歳児は幼稚園に入園し，４歳以下の子どもたち24名（途中入園で31名）が保育園に入園しました。公私保育園17園中14園が入園を受け入れました。

　ただ，ここに至るまでに市当局と園長会とで何回も話しあいを持ち，「園側との納得の上」でスタートしたのですが，「いざどの子をどこの園に入れるかという具体的な話になると，市，園，親，保母の間でさらに何回かの話し合いが必要」でした。特に，実際の保育に当る保育者との話しあいが持たれていなかったため，「保母たちの間に少なからずの動揺」がありました。

　大津市保母会（公私合同）でもこの問題がとりあげられ，「保母の不安がここでは卒直に出された」といいます。つまり，「専門的

知識がない保母が保育しても責任がもてない。普通児のなかに障害児を入れてほんとうにその子のためになるのだろうか。事故を起こしやすいがその責任は市がとるのか。障害児のための設備が整っていない。複数担当になると保育が混乱する。父母から苦情がでるのではないか。普通児に悪影響はないのか。悪影響がないまでも保育のとりくみがおくれるのではないかなど，未知の障害児保育にたいしておびえにも似た不安が色濃かった」といいます。また，「なかには障害児の担当になったら保母をやめようと悩む人」[44] もいたそうです。

・問われた「実践者の立場性」

このように，制度化されたからといって，障害児の受け入れとその保育が順調に進んだわけではありません。つくし保育園をはじめ大津市や全国の実施園では，障害児の受け入れと保育の実施に相当の困難が伴いました。

この点に関連して，宮下俊彦は，各自治体における障害児保育推進のための意見具申や答申，厚生省の「障害児保育実施要綱」（1974）作成と予算化の動きを歓迎しつつも，「要綱をつくり，予算化すればそれですむというものではない」し，実施にあたっては「行政のいさみ足や，形だけの先どり」もあったといいます。また，これらの「急激な動きは，障害をもつ子どもや親のねがいにかなったものであっても，受け入れ側にとっては，さまざまな不安やおそれや混乱を招き」，そのなかで「山積している未解決な問題をかかえて，さらに困難なしごとにいどむことは，どの園にとっても，かなりの決意がいること」[45] だったと指摘しています。

これは障害児保育における「実践の危機」でした。障害児保育の

29

実施園では，この「危機」にどう向きあうかという「実践者の立場性」[46] が問われました。

　また，この「制度的な障害児保育が実りあるあるものになるため・・の基底」として，あるいは，その実施条件の制度的改善をすすめる「運動のささえ」として，「日常的な」実践のあり方が鋭く問われました。つくし保育園もまた，一貫してこの課題に挑戦し続けたのです。

5 つくし保育園における障害児保育と入園問題

1）開園時から障害児保育に挑戦

①園の保育の「3つの基本線」と障害児の受け入れ

　先にも述べたように，1965年に立ち上げられたつくし保育園は，「働くものの生活と権利を守る保育園」「差別・選別を許さない保育内容」「民主的運営」という「3つの基本線」を掲げ，産休明けゼロ歳児保育・長時間保育とともに，障害児保育にとりくんできました。

　大津市において1973年に障害児保育が制度化されるまでは，ほぼ毎年1人の障害児を受け入れ，事情によっては2人受け入れた年もありました。制度化後は，園に4・5人の障害児が在籍していたといいます。

②入園問題をめぐる話しあいをめぐって―Aちゃんの場合を中心に

　とはいえ，制度化に至るまでは，入園問題をめぐって毎回激論が展開されました。

　たとえば，脳性まひと発達遅滞，弱視，歩行困難を抱える重複障害児Aちゃんの場合についてみてみましょう。やや長くなるのですが，障害児を受け入れて保育することに踏みきっていく経過を示す格好の史料の1つとして紹介したいと思います。

・初めの入園申し込みと話しあい

　Aちゃんは，1969年3月，3歳のとき入園を申し込みました。つくし保育園で受け入れた4人目の障害児でした。母親は，「（Aにとって）今いちばん必要なのは友だちです。集団生活をすることによって歩く意欲をもってくれるのではないだろうか。10年・20年とあきらめの人生を送るのは耐えられません」と，入園に強い期待をもっていました。

　この申し込みを受けて職員会議ではいろいろな意見が出ました。つまり，「障害児にとって，保育園は必要」だけれど，「こんな貧しい保育行政のもとで，障害児を受け入れて保育することは，行政のサボタージュを助長，その肩代わりをすることになる」し，「民間の劣悪な保育条件のなかでは，たんなる善意や個人的努力で‥受け入れることはできない」と。そして，「制度化させると同時に，今の措置基準そのものをもっと高いものに変えねば―そういう運動なしには‥受け入れることはできない」という結論になりました。

　この結論を踏まえ，両親，母親が入会している「大津市障害児父母の会」のメンバー，園の職員とで話しあいました。園からは，「園の置かれている実状，とくに保母の労働条件の悪さ」を訴え，「拒否するものではないが，今の〈つくし〉ではどうしても‥受け入れることができません」「少しでも措置がとられればすぐに受け入れます。それまで待ってください。入園できるように私たちもいっしょに運動をやります」と意向を話し，親の了解をえました。したがって，Aちゃんはこの年は入園できませんでした。

　その後，関係団体の協力も得て市や県に要求したり交渉した結果，いったん幼稚園へ入園という返事をもらいましたが，いざとなると「いぜん壁は厚く」，けっきょく2年間Aちゃんはどこの保育

園・幼稚園にも入ることができなかったのです。[47)]

・再度の入園問題と話しあい

　2年1か月後の1971年5月，こうさぎ組（1歳児）欠員もあり，「この機会をのがすとAちゃんは集団生活の経験なしに就学」ということになるので，行政の措置はありませんでしたが，職員会議での激論を経てAちゃんの入園を決定しました。

　実は，つくし保育園はこの年の4月に改築移転し，定員も90名から120名になり，子どもも保育者も増員となっていました。新しい職員はそれまでの経過を知らないので，「今でもしんどいのに，障害児までよう保育せん」「自分の身体をこわしてまで障害児を保育ようせん」「保育をするなら，きちんとやりたいが，専門家でない」「歩けない子どもが集団生活に入ってついていけるのか」など，率直な疑問や本音が出されました。

　それに対し，「障害児やから，と特別扱いするのでなく，たまたま足の悪い子，発達の遅い子がそのクラスの中にいたと考えないといけない」「障害児がいても，身体をこわさないような保育を考え，やったらどうか」「障害児の専門家でないのはあたりまえ，しかし，大勢の子どもを保育することに関しては専門家である。大勢いればその発達段階に幅があって当然だ」などの反論も出ました。3時間以上にわたる激しい討論の末，やっと次のような結論が出たのです。すなわち，

◎今の保育制度では，障害児を受け入れられるような仕組みにはなっていないのだから，制度を改めない限りちゃんとした障害児保育はできない。しかし，この制度をかえるエネルギーは，実践を通して具体的な要求を市や県にぶつけていくことなのではないだ

ろうか。

◎Aちゃんは医者が集団生活がいちばんいいといっているのだし，障害があるという理由だけでは拒否する理由にならない。

◎歩行の獲得という課題をもつ（ので）1歳児のこうさぎ組で保育しよう。

◎どんな形態で受け入れるかについては，1週間，母子通園してもらって，その結果話しあって決める。[48]

・「ようす」をみる観察期間と受け入れ態勢の決定のための話しあい

　こうしてAちゃんは母親と登園し，1歳児クラスで4・5日生活します。そのなかで，4人の担当保育者（うち3人は新採）からいろいろ疑問・不安が出されました。すなわち，「こうさぎ組の保育さえよくわからないのに‥（そのうえ）Aちゃんを受け入れても（うまくできないわ）」「受け入れるかぎりいい保育がしたい。今の4人だけではとてもAちゃんに責任ある保育ができない」などでした。

　ここには，主任の清水と担任の間で，受け入れのための観察期間の理解に食い違いがありました。というのは，この観察期間は「受け入れできるかできないかを決める」ためでなく，「まずAちゃんを受け入れるという原則があって，その実現のためには，どんな態勢をくめばよいか」ということを考えるための「準備保育の期間」だったのです。

　この点を確認し，準備期間を10日間に延長し，あらためて職員会議をもちました。そのなかで，いくつかの問題が浮かび上がってきました。その1つは，だれが担当するかということです。「Aちゃ

んにだれか１人ついてほしい。ただしお母さんはだめ」「お母さん
に離乳食をつくってもらって，０歳児のこぐま組の保母がＡちゃん
についてはどうか」「そうかんたんに・・動かしてもらっては困る
し，それに１人べったりつきっきりになっている必要があるのか」
というやりとりがありました。２つめは，「責任ある保育」につい
てです。「完全な保育，責任のある保育というのはＡちゃんだけで
はない。どの子にもあてはまることだ。また，条件のすべてがそろ
わないとスタートできないということではない」との発言がありま
した。３つめは，「そのうえさらに」という見方についてです。こ
の点については，「みんながうまくいっていないのに，そのうえさ
らにという見方ではなく，Ａちゃんも含めた集団をこうさぎ組（１
歳児）として考えなくってはいけない。そうでないと，“問題児”
を集団からきりはなしていく見方と同じになってしまう」「そうは
いっても実際に保育する時は手がかかるから１日中の保育はどうし
てもむりや」などのやりとりがありました。

　以上の検討を経て，Ａちゃんの受け入れ態勢を以下のように決め
ました。つまり，①「お母さんにはついてもらわない」，②「１か
月間は午前保育とする。１日保育にするか，半日保育を続けるかに
ついてについては１か月後に話し合って決める」，③「食事のとき
は絶対に保母の手を必要とするのでこの時間は主任がこうさぎ組に
手伝いに入る」，④「散歩につれていくのはむりなので，このとき
はこぐま組で保育する」という態勢でした。

　こうして，Ａちゃんは，５月中旬から，「やっと正規のつくし保
育園児として毎日登園する」ことになったのです。最初の入園申し
込みから２年１か月後のことでした。[49)]

2) 入園問題の議論とその意味—職場討議の力1

①「考え，話し合う」ことをくりかえすことと「民主的運営」

　Aちゃんの入園問題だけをとってみても，これだけの議論と試行があったのです。事情は，他の障害児の場合も同じです。つくし保育園の保育者たちは，障害児の受け入れにあたって，その意義と受け入れるための条件や方法を何度もくり返し話しあっていました。

　清水も，この点に関連して，「私たちはまったく同じことのくりかえしといってもいいような内容の討論を長い時間をかけて」やってきて，「なぜつみ重ねができないのだろうと情けなく思った」り，「会議，会議とばっかりいって，〈つくし〉はほんとうにやる気があるのか」と非難されたこともあったそうです。しかし，「大事なことは何回も何回も，その都度討議し，その都度確認すること自体に大きな意味がある」[50]とも書いています。

　この「民主的運営」と話しあい重視は，開園以来の同園の保育の「基本線」の1つでした。なぜなら，共同保育所としてスタートしたつくし保育園は，障害児保育だけでなく，経営・運営・勤務体制・施設設備・環境や遊具・内容など保育の全般に関して，多くの困難をかかえていました。それらの困難を乗り越えて前に進むには，職員同士，あるいは職員と保護者とが徹底して話しあって活路を見出すほかありませんでした。

　出発時点で同園の運営委員長だった鈴木弘一によれば，「このような困難な中では個人的にしんどいことを爆発させたり，父母にむかって爆発したくなったりすることがよくおこった」といいます。そして，このすったもんだのなかで，「①保育について同じ方針で

あるためにも。②いろいろある困難をどういう風にしていくか，考えて１つ１つ行動していくためにも。③父母といっしょに保育所のことを考えていくため」にも，「保育者，職員同士が１つになっていかなければいけないことが，わかってきた」といいます。とはいえ，「毎日のように・・しんどさ，むつかしいことがおこってくる。それが案外つながりをつけにくいことになっている」。だから，「いろいろおこってくる問題を，どんな形でもいいから出すということしか解決する道はない」と，話しあいの末に確認したそうです。つまり，「（共同保育所を立ち上げた）今，この段階にある私たち職員，保育者は，おこり，考え，話し合う。ということをくりかえす中でしか，（「解決する道」を探ることは─引用者注）できない」ので，「みんなで考え合うという小さな積み重ねをもって」一緒に仕事をしていこうと。[51]

　この「大事なことは何回も何回も，その都度討議し，その都度確認する」「考え，話し合う。ということをくりかえす」という「時間のかかる合意形成」は，「民主的運営」の意味と可能性を示唆しているようです。というのは，保育における「民主的運営」あるいは「民主主義」の「根幹には同意」があり，その「同意」や「合意」を形成するために「時間をかけてやってきた関係や場の『耕し』こそが，危機のときに問題をともに察知し，柔軟に対応する素地」[52]になっていくからです。

②大変な状況のもとで「建前と本音の分裂した職場」にしないために

　先に述べたように，全国的な状況としても，またＡちゃんの場合でも，実施の条件がきびしいなかでは，障害児を受け入れ保育する

ことに「拒否的」「否定的」になりかねませんでした。

　しかし，子どもと親が受け入れを求めているのに，「今でもしんどいのに」とか「人手がないからね，仕方がない」「大変だ，大変だ」というだけでは「答え」にならず，納得も「共感的理解」も得られません。

　このままでは，やる必要はあると思うがやれないという「建前と本音の分裂した職場」になってしまいます。そして，「実践のスリム化，実践のマンネリ化」[53] が起こりかねません。そうならないためには，大変なのはどの時で，どのような場面なのか，対応する手だてはあるのかを徹底的に検討し，受け入れられる条件・可能性（Aちゃんの発達課題とクラス，保育時間，保育形態，担当と協力体制など）を探っていく職場討議の力が求められたのです。

　つまり，『差別・選別を許さない保育』という園の保育理念（「基本線」）を「たてまえ」[54] にとどめず実践の創造につなぐうえで，Aちゃんの入園問題をめぐる徹底した話しあいが必要不可欠だったといえるでしょう。

　また，この話しあいを通してAちゃんを受け入れられる条件・可能性を明らかにしていくことは，入園をめぐる会合に参加した親や「大津市障害児父母の会」のメンバーの納得と合意を得られるように，園の「説明能力を高め」[55] ていくことにもなったと思われます。

3）日々の実践を全園の協働で—職場討議の力2

①園全体の「一致点」で実践する

　ところで，Aちゃんの保育は，それ以前の「担当保母だけがうけとめ，園全体でうけとめる姿勢が弱かった」Bちゃんの保育の総括

を「踏台」にして展開されたのです。

　Aちゃんを担当した4人の保育者も，「Aちゃんは園全体で受けとめたのだから，何も私たちだけが苦しむことはない。問題はみんなで考えてもらおう。みんなの中に返していこう。とにかくどこまでAちゃんが変わるかわからないけれどもやれるだけやってみよう」[56] という姿勢でとりくんでいきました。

　清水も，Aちゃんを「正規の」保育園児として受け入れるための話しあいや観察期間に2か月もかかったのは「少々まどろっこしく時間のかかること」だったけれど，「結果的にはこのことがとっても良かった」といいます。それは，「保母1人ひとりが自分の気持ちを率直に出し，とにかくみんなが納得する結論をみつけ出し，それを実践する。実践にもとづいて次の一致できる点を確かめ合い，さらに一歩を進める」ことができ，その結果として「Aちゃんの保育を全体のもの，みんなのものにすることができた」[57] からです。

　つまり，この一連の話しあいは，Aちゃんの保育をめぐる問題を「みんなの中に返し」「一致点」で実践するというスタイルを生み出していったといえます。こうして，Aちゃんの保育は全園の課題となり，担当した保育者たちも協働してとりくんでいきました。

②実践への意欲が生まれる

　この「みんなの中に返し」ていく話しあいによって，Aちゃんの保育に揺らぐこともあった保育者たちは，実践への意欲もかきたてられていきました。

　たとえば，「（入園当初）緊張のあまりおしっこも出ず，食事もせずに泣きつづける」Aちゃんを前に，担当した保育者たちは「ほんとうにこの子は変っていくのだろうかと，疑問や不安やあせりが入

りまじってほんとうにしんどい１か月間」を過ごします。そして，「ともすればＡちゃんを拒んだり，障害児保育を否定しがち」でした。しかし，つくし保育園全体として見た時，「そこへ落ちこまず，障害児保育を続けられた」のは，「担当の４人の保母が機会をつくっては，ぐちや不満や疑問を卒直に話しあっていた」[58]からだといいます。

　また，担任同士で話しあうだけでなく，「園全体で受けとめ・・みんなで考え」るスタンスでとりくんだことは，「何かはっきりしたものはつかめないながらも・・こうさぎ組（１歳児）の保育やＡちゃんのことに私たち（園の職員全員－引用者注）が意欲的にとりくめる大きな支えになった」[59]というのです。

　この点に関連して，茂木俊彦が興味深いデータを紹介していました。それは，「京都市障害児保育研究会」が行った「幼稚園・保育所に通う障害の幼児についての実態調査」（1973）です。この調査では，障害児保育実施園（幼保）の保育者に「受け入れ前の気持ち」を聞いています。サンプル数が少ないのですが，「経験のないことへの不安」と回答した８人中６人が，受け入れが「担任まかせ」という体制の園の保育者でした。また，「障害児を含んだ教育の必要を感じていた」と回答した７名全員が，「園全体で受けとめる」体制の園の保育者でした。また，「受け入れて困ったこと」との関連もみてみると，「園全体で受けとめる」園では，「障害児の教育について積極的なレベルでの問題があげられ」ていたといいます。つまり，「園全体で受けとめる」体制の園の保育者たちは，障害児保育の「必要を感じ」，「積極的」にとりくむ傾向があることが推測できたそうです。[60]

　この結果も，「みんなの中に返し」て園全体の協働体制をつくる

ための一連の話しあいが，つくし保育園の保育者たちを「意欲的」にしていったことを裏付けているようです。

③障害児保育の進展と新たな「日常」の創出

　Ａちゃんの保育に象徴されるような話しあいと実践を積み重ねながら，つくし保育園の保育者たちは，障害児の保育への見通しを少しずつ広げていきました。

　たとえば，1967年度にＢちゃんの入園を決めたのは，開園当初ダウン氏症候群のＤちゃんを保育した経験があったからです。1972年度に，2人の障害児の同時入園が問題になった時，「今までの〈つくし〉の歴史からみても，障害児を受け入れることに異存はなかった」し，「Ａちゃんと同じような状態のＣちゃん（「脳性麻痺による肢体不自由・発達遅滞」という診断，おとなに支えられて歩ける程度—引用者注）の受け入れにはほとんど抵抗がなかった」のです。さらに，1974年4月にＥちゃん・Ｆちゃんが入園してくるに及んで，「園内に4・5人の障害児がいることがあたりまえの状態」になってきました。

　また，障害の種類も，自閉的傾向・重複障害・発達遅滞・点頭てんかん・ダウン氏症候群・脳性マヒなど多様になり，「『ＥちゃんはａちゃんやＣちゃんと同じケースね』『ＦちゃんはＤちゃんの要領ね』といった調子で余裕がでて」きたといいます。つまり，Ｄちゃんの保育経験をベースにＢちゃんを受け入れ，Ｂちゃんの保育を「踏台」にしてＡちゃんの保育を模索し，Ａちゃんの保育を手がかりにしてＣちゃんの保育を進めていったのです。

　このように，今の障害児の保育を「踏台」として新たに入園してくる障害児の保育を「力動的に編成し，また編成替え」していくプ

41

ロセスは，多様な障害児がいることがあたりまえという園生活の新たな「日常」[61] を生み出していくプロセスでもありました。

6　つくし保育園における障害児保育実践の展開

1）実践の課題—障害児がクラスの「一員」となる集団づくり

　入園を拒否され「ひとりぼっち」になりがちだった親子を受けとめながら，障害児保育の制度化をはかり「全員入園」の実現に尽力していったつくし保育園。「正規の」園児として入園した障害児がクラスの「一員」になっていくような保育を模索していきますが，そこでもむつかしい問題に直面しました。

　ここでも，Aちゃんの保育に注目してみたいと思います。それは，先述したように，Aちゃんの保育がBちゃんの保育の総括を「踏台」して展開されたことと関係があります。

　1967年に4歳児で入園してきたBちゃんは「頻々と事件が起こ」し，保育は「予想以上に大変」でした。[62)] その後，Bちゃんは「変わった」とだれもが認めながらも，「保育園にはいってほんとうによかった」という確信になりませんでした。そして，「保育は総括されないまま，集団に入れる状態の障害児であればさほど問題はないという判断で，受け入れて保育」していきました。

　その後，1969年に，3歳児Aちゃんの入園問題に直面した時，あらためてBちゃんの保育がもち出され，「はじめて総括」されたのです。その要点の1つは，Bちゃんが「組の一員となりえていなかった」し，「障害児を含めた集団づくり」が弱く，「お客さん扱

い」[63] していたということでした。

　入園した障害児を「お客さん扱い」にしないということは，当時の保育実践の重要な課題の1つでしたし，「その子をはじきださないで，クラスや園の一員として」障害児を受け入れる「日常の保育体制」[64] が求められていました。つくし保育園も，この課題に取り組んでいきました。

2）一緒に育ちあう保育の模索が始まる

①Aちゃんの場合

　1971年5月中旬から「正規のつくしの保育園児」になった5歳のAちゃんは，歩行ができない状況なので一歳児組に入れて，徐々に年長の子どもとの関わりをもつようにしていきました。保育は，「3つの柱（歩行を中心に運動機能の発達促進，言葉と手の働きによって認識力を高める，排泄中心に基礎的生活習慣を身につける）」を中心にすすめました。当初の半月は緊張とまわりの騒がしさにおびえ，泣く日が続き，オシッコにも行けない，おやつも食べなかったといいます。

　そのAちゃんが，園ではじめてオシッコをする。食事やおやつを手で食べる。午睡中の静かな時，自分から動きまわる。レコードを聴いて身体をゆり動かして喜ぶようになります。なにより，午前保育のAちゃんが「いちばん楽しそうなのはひるね前のひととき」でした。食事の後，しばらく布団の上で子ども同士で，あるいは保育者も入ってくるりと回ったり，倒しあったりしてはしゃぐ。それを見てAちゃんは手をたたいて喜ぶ。ぶつかったりしてもこのときばかりはニコニコ顔で，声をあげて笑うようにもなりました。

　半日保育のＡちゃんが「いちばん生き生きとする昼寝前がお迎えの時間になり，この時間帯が途中で打ち切られるのは・・残念」だし，「もっと子どもたちとの交流を深めるなら１日生活したほうがいい。片道１時間半かけて送迎するのは母親も大変だ」ということで，７月から「他の子たちとまったく同等のつくし保育園児」になったのです。

　その後も，高月齢の子たちが遊んだり，何やら話しかけたりします。Ａちゃんも，わらべ歌の指遊び（日本橋コチョコチョ）をしてくれる子どもたちの指の動きを見ています。家で母や父に，園でも保育者がそばにいるとすぐに手を出してやってくれと要求する姿などが見られるようになりました。そして，入園して８か月の１月に，クラスの友だちに片手をゆだねて歩いたり，つかまり立ちをはじめ，やがて保育者が「Ａちゃんおいで」と手をさし出すと，その手にむかって３〜４歩歩いたのです。こういう経過を経て，Ａちゃんは，卒園の合宿旅行に５歳児のみんなと参加したのです。[65]

②Ｄちゃんの場合

　Ｄちゃんは，1972年５月に４歳児で入園し，４・５歳混合クラス（ぞう組）のメンバーとなりました。受け入れにあたっては，「園全体で受けとめていく」ことを基本とし，以下のことを確認しました。つまり，①「玄関の所はみんなで気をつけて，勝手に園外へ出ていかないようにする」，②「他のクラスに入った時は，そこの保母がきちっと対処」し，「"ぞう組へ帰り！"とか，"ぞう組さん，Ｄちゃんがこんなところへ来て邪魔するからつれていって！"等という事態を起こさない」，③「グループの子どもたちの中で，仲間に入れていくような方向づけをする」などでした。

とはいえ，担当した保育者たちにとって，自閉的傾向の子どもの保育は初めてで，自閉症に対する知識もなく，どんな指導をしたら良いかもまったくわかりません。それで，「子ども集団を頼りにして，Dちゃんの問題はすべて子どもたちのなかにかえそうという気構え」で保育をスタートしました。[66]

　Dちゃんは，入園当時は子どもたちにも保育者にも「関心がなく1人遊びがほとんど」でした。友だちが手をつなごうとしたり，靴をはかせようとすると，「キャーと泣き叫んで抵抗して」いました。ところが，Dちゃんの気持ちとは関係なく，「まわりの子どもたちの方からいろんな場面を通じて，いろいろな形でDちゃんへの関係をどんどんつけて」いきました。

　たとえば，Dちゃんにとって「第1の関所は給食を待つ」ことでした。というのは，当番が配ってくれるとすぐに手をつけます。すると，「タベタラアカンデ」と手をおさえる子，それでも食べようとすると手で食器にふたをする子，手を出さないようにと後ろから抱きかかえている子，「マダ，ミンナデ，イタダキマスシテカラヤシナ，マッテヤ」と説明する子がいるなど，「何人もの子どもたちがよってたかって」関わっていきます。Dちゃんは，はじめは「泣いて身をよじらせて抵抗」していましたが，1週間目には，「マダヤデ」と手をおさえるだけで2・3分待てるようになったそうです。

　特に，はじめの生活グループのメンバーの子どもたちは，「グループのメンバーの一員として常に対等に働きかけ」をしていたそうです。そうしたなかで，3か月たった7・8月頃には，友だちといっしょに歌を歌うようになったり，友だちの顔にほおずりをしたり，ケンカをして泣いている子がいたらチリ紙をもっていって涙をふいたやったり，当番の友だちにエプロンをかけてやろうとしたり

するなど，「積極的な関係をもつ」ようになりました。

　その生活グループのメンバーの１人Ｈちゃんとは，一層深い関わりができていきました。６・７月頃の給食の後，Ｈちゃんが後ろからＤちゃんの首をさわって"ダレダ？"と言い，それを何度も繰り返します。そのたびに，Ｄちゃんは笑いながら振り向いていました。そして，ある日の昼寝の後，Ｈちゃんが服を着ているところへＤちゃんが行って，Ｈちゃんの首に手を回して頬ずりをしたのです。その姿を見ていた子が，思わず「Ｈチャンガスキヤナー」といったそうです。その後，Ｄちゃんには，他にも「お気に入りの」[67] 子ができていきました。

　同園園長だった鈴木弘一（1976）の言葉を借りれば，障害児が「みんなから・・してもらうという」関係から，「自分を中心において，積極的にみんなに働きかけていく」[68] 関係を仲間と結んでいったのです。[注11]

③育ちあう子どもたち

　このＡちゃん，Ｄちゃんの育つ姿を通して，障害児にとって集団生活が大きな意義をもつことがわかってきました。同時に，育つのは，ＡちゃんやＤちゃんだけでなく，まわりの子どもたちも育っていることにも，保育者たちは注目していきました。

　先述したように，当時の保育者のなかには，「普通児に悪影響はないのか。悪影響がないまでも保育のとりくみがおくれるのではないかなど，未知の障害児保育にたいしておびえにも似た不安が色濃かった」のです。しかし，実際にはお互いにいい影響を与えあい，Ａちゃん・Ｄちゃんとクラスの仲間は育ちあい，「障害をもっている子も，まわりの子ども達を変える力」[69] があることが見えてきた

のです。

3）障害児保育が明らかにした「今までの保育観」

①保育者がもっていた無自覚な保育観

　清水は，障害児保育のとりくみが進むなかで，「今までの保育観」があぶり出されたといいます。つまり，障害児の入園をめぐって討議するとき，「かならず保母の間からだされることば」の背後にある保育観です。その「ことば」とは，以下のようでした。

　「今でもしんどいのに・・」というのがあります。「・・」の部分にはいったい何が伏せられているのでしょうか。
　「しんどいのに・・のあとには何がつくの」
　「かなん」
　「かなんとか嫌いとかの話をしているんじゃないの。どう困るのかをはっきり考えてみて」
　「余分の手がかかるから」
　「・・」
　「それだけ？」
　「テンポがあわないから」
　「かってに部屋を出て行くから。そのたびに保育が中断されるし，やりにくい。やりにくいから，さらにしんどくなる」
　このように「・・」の部分を明るみに出していく過程で障害児保育が今までの保育観とまっこうからぶつかることに気がつきました。

②問われた「保育観」と2つの問題

　ここで問われた「保育観」とその問題は何でしょう。清水は，以下の2点を提示しています。

　つまり，その1つは，「クラス王国を守り，クラスごとに競争をしているような保育のやり方では，障害児がクラスの一員となることはむずかしいのです。障害児はよくかってに部屋を出ていって，自分の思うところへどんどんはいって行きます。"あ，また来ている。帰ってね""この子の先生なにしてるんやろ""となりのクラスは合奏がじょうずだけど，私のクラスはあの子がいるし，調子があわないわ"こんなふうに考えているかぎり障害児は厄介者」になってしまうと。

　もう1つは，「自分の保育を一斉保育にのみに賭けて，午前10時から11時ころまでの時間に大半のエネルギーを費し，給食になったら，"ヤレヤレ，あとはひるねして，おやつを食べてさようならでおしまい"と考えている保母にとって，障害児ははみ出し者」になってしまうのだと。[70]

　つまり，「かってに部屋を出て」いく子がいなくて「キチンと全員が揃う」ことが「じょうずな保育」なのだろうか。また，「一斉保育にのみに賭け」る保育，いいかえればクラス全員を対象にした絵や合奏・体育などの教育的「課題」や「課業」が中心の保育でいいのだろうか。この2点が問われたのです。

　清水は，「私たちもまた，こうした保育観を大なり，小なり身につけていました。今まではこの保育観に何の疑問ももたず―というよりも自分がこうした保育観をもっていることさえ自覚せず保育して」いたというのです。

4)「キチンと全員が揃う」ことが「じょうずな保育」なのか

①園が目標としてきた子ども像からみて

　前者の,「はみ出す子がいなくなってキチンと全員が揃うのをじょうずな保育というのだろうか」という清水の問いの背景には, 開園以来つくし保育園が目標としてきた子ども像がありました。

　実は, つくし保育園では, 開園2年目の実践のなかで, 子ども像をどう描くかが課題になっていました。たとえば, 開園1年目の実践の振り返りのなかで, 幼児組担当の保育者は, 次のように考えていました。つまり,「(懇談会の時に親がいっていた) すなおな子というのは, はいはいと大人のいうことを聞く子どものこと」なのだろうか。そういう「子ども」ではなく,「思い切りあそべる子ども。そのなかで他人に自分の要求をいろんな形で表現できる子どもに。そして他の子どもも, その要求を自分のこととしてああでもない, こうでもないと話し合っていける子どもになってほしい」し, そのことを「頭にもって保育をしよう」と。71) 注12)

　この自他の要求を「ああでもない, こうでもないと話し合っていける」という子ども像は, その後の園の実践のなかで,「ああでもない, こうでもないと自分の頭で考え, 行動する子ども」という「つくしの子の目標」の1つとして定着していきました。72)

②「学校」的子ども像への疑問

　この「自分の頭で考えて, 行動する」子どもは, 安易に「キチンと全員が揃う」ようには行動しません。この点に関連して, 1970年前後につくし保育園を卒園した子どもの保護者が, 園の30周年座談

会において，当時の園と学校の子ども像の違いを次のように話しあっていました。

すなわち，「例えば給食の時間になって"皆さん手は綺麗ですか？"と先生がいうたら，みんなが条件反射みたいに手を挙げる。3人程は下でもぞもぞして下向いとる。そして，手を確かめとる。それが，必ずつくしの子」だ。しかし，「綺麗やとか手を洗ったとか関係なしに手を挙げる子と，ほんまに綺麗やろか，手を上げていいか確認して上げよる子と」がいたら，「ほんまの子ども」は，「自分の頭で考えて，自分で納得して行動する」よう育ってきた「つくしの卒業生」の方ではないだろうか。でも，それでは「みんなそろう」ということにならないことも多いので，「学校の先生の集団の中ではつくしの子達は，はっきりいうて，色眼鏡で見られてる」のだと。^{注13)}

「みんなそろう」ことを良しとする学校教育（が期待する子ども像）にあわず，「色眼鏡で見られてる」卒園児たち。その姿こそ「ほんまの子ども」と思うつくしの保育者と保護者たち。このような卒園児の学校体験に直面したことが，園の保育者や保護者につくし保育園の保育と学校（教育）の違いを意識させた一因だったのではないかと思われます。

つまり，「はみ出す子がいなくなってキチンと全員が揃うのをじょうずな保育というのだろうか」という問いの背景には，園が積み上げてきた子ども像への確信と，「みんなそろう」ことを良しとする学校教育（が期待する子ども像）に対する強い疑問があったのです。

③障害児を「厄介者」にする保育を変える視点──「さびしい人のいないクラス」づくり

　では，清水やつくし保育園の保育者たちは「はみ出す子がいなくなってキチンと全員が揃う」ような保育をどう超えていこうとしたのでしょうか。清水は，この点に関連して，次のような視点を提起していました。

　すなわち，「たしかに障害児はテンポがあいません。クラスの動きからはみ出す子です。でもちょっと考えてみると，いつでも，どのクラスにも，『この子さえいなかったらうまく保育できるのに』と思いたくなる子がいます。その子が何らかの理由で園をやめた」としても「別の子が今度は『この子さえいなかったら』になっているのです。問題をもつ子を排除する保育はいつでも問題児につきまとわれます。問題児をつくらない保育にとりくむより他に解決の道はありません」と。[注14)]

　この「問題児をつくらない保育」という視点は，「力の弱い子」が自分の要求をかなえられず「はみ出し者」になってしまったという園の保育の反省と重なりあうものでした。

　というのは，1971年に新築移転したつくし保育園では，新たな希望にもえてスタートした保育がうまくいきませんでした。特に，生活の切り替え場面で保育者と子どもが対決するような状況が９月くらいまで続きました。ある日の給食の時，いつもは「力の強い子」に押され「あそびの時間にはめったに自転車に乗れ」ない子が，だれも乗っていない自転車に気づき，どうしても乗りたくて「給食なんかほしないもん」と食べることを拒否しました。その子のガンとした態度に圧倒され，また「いい根性だ」「子どもの要求をつぶしてはいけない」とも思った担任は，その子の要求をのんでしまいま

した。

　この出来事について職員と話しあうなかで，清水は，生活や遊びのなかにある子どもたちの「弱肉強食的な姿」を問題にし，「力の弱い子，下積みになった子の要求は，集団からはずれて保母に出すことではなく，仲間のなかに出す」ようにしていくことが大事だと考えます。つまり，「力の弱い子，下積みになった子」の要求を保育者が個人的にサポートして解決するのではなく，その子たちを生み出している集団構造や保育のあり方を変えていくことが課題だととらえたのです。[73)]

　この課題にとりくむにあたって，清水は，当時の小学校の先生の実践に学び，「さびしい人がいるから助けるのではなく，さびしい人のいないクラスをつくろう」[注15)] という視点を提起しました。それは，つくし保育園が目標の１つに掲げていた「自分の要求をはっきりといい，同時に他人の要求も聞ける」という子ども像のもつ「矛盾」を，つまり「自分の要求をいい通すことと，他人の要求を聞き入れることとは矛盾することが多々ある」ということを，「どう方向づけて解決するか」という，園の保育がめざす集団像を模索するための視点でもあったのです。[注16)]

④「さびしい人のいないクラス」づくりと「学校」的な目標・内容への問い

　1971年度の実践のなかで問題になった「さびしい人のいないクラス」づくりの模索は，それ以降の実践の重要なテーマになりました。障害児を受け入れるということは，園やクラスとして「どういう保育をしていくのか，その中で，はみ出す子をどうみていくのか，保育のまとまりとはいったい何なのか」[74)] について保育者集団

として明確にしていくことでもありました。その際，この問題の解決の糸口を示してくれたのは子どもたちでした。

　たとえば，4歳児CちゃんとDちゃんの入園問題に直面した1972年，いろいろな検討を経て，4・5歳児混合の2クラス（ぞう1組・2組）を編成して，2人を受けとめていきました。また，給食・昼寝・散歩など「日常的な生活をする基礎集団」と，絵や制作など年齢別の「課題をもつ集団」〜4歳児が「おさえられて小さく」ならないようにその遊ぶ時間や場所を保障するとともに，5歳児らしいとりくみができるようにするため〜との2つの質の異なった集団を経験ができるようにグループ活動もとりいれ，「生活−労働をとりいれたカリキュラム」をベースに「集団づくり」を進めていきました。[75]

　ぞう2組のメンバーだったCちゃんは，その生活や遊び（4月の児童公園のがけのぼり，5月の畑づくりのための土運びなど）に，当初から参加していました。その後，5歳児が「運動会にむけての課題」としてとりくんだとび箱が「あそびの形で4歳児の間に波及」し，ぞう組は「とび箱一色」になりましたが，その輪のなかにCちゃんの姿があり，「自分から這って」きて，とび箱に挑戦する列の後ろに並んでいました。自分の番が来てとび箱によじ登ろうとしているCちゃんを，順番を待っていた子どもたちが「お尻をもち上げたり，足を持ったりして助けて，とび箱の上にのせて」やりました。

　保育者は，何度も挑戦するCちゃんの姿に「尻ごみをしていた子どもたちはどんなに勇気づけられたこと」かと思うとともに，とび箱に熱中する子どもたちに「クラスの全員がとび箱をとべたら，お祝いに何かつくって食べようか」と提案し，大喜びの子どもたちと

おだんごパーティーをすることに決めました。

その際，Cちゃんのことが問題でした。保育者自身が「この問題をどう方向づけをしたらよいかの判断がつかない」まま，『みんなに相談やけど，Cちゃんはむりやと思う。みんながとんだらのお祝いやし，どうする？』と投げかけたところ，『先生，Cちゃんかて，とび箱練習してはるで』『そうや，やってはるわ』と心外そうな口調で反論してくる子どもたち。そこで，「Cちゃんは，1人でとび箱がのり越えられたら『成功』」ということに決めました。Cちゃんも「自分に与えられた課題に"ウンウン"とうなづき」，その後「人一倍がんばってとび箱に挑戦し，ついに独力でとび箱を越えることができ」[76)]たのです。

この「とび箱の上にのせて」やろうとするCちゃんへの関わり，「Cちゃんはむりやと思う」担任と「練習してはるで」という子どもたちの反論を通して見えてくるのは，Cちゃんが自分も跳びたいという思い強く持っていることを子どもたちが理解して援助していたということです。清水の言葉を借りれば，Cちゃんと自分たちは「一緒だけれども一緒じゃない，一緒じゃないけど一緒だ」[77)]ということ，換言すれば，跳び方はみんなと「一緒じゃない」けれど，とび箱をとびたいという思いで挑戦しているのは「一緒だ」ということを，子どもたちが「見つけてくれる」ということでしょう。

この「一緒だけれども一緒じゃない，一緒じゃないけど一緒だ」というCちゃん理解は，つくし保育園の障害児保育実践の変化・発展における「子どもの発見」[78)]であったといえるかもしれません。と同時に，障害児が文字通り「組の一員」になっていくという意味での「さびしい人のいないクラス」づくりにとって，貴重な手がかりになったといえるでしょう。

それはかりではありません。この清水の気づきは，その後，「保育園は子どもにとって"塾"や"学校"ではなく，"生活の場"」なので，とび箱（に代表される子どもの生活や遊び）を，「みんな同じ」ように達成することを求める「課題」や「到達目標」[79]にするのではなく，その子らしい向かい方を認めていくという保育計画（目標・内容）と集団生活のありようの探求につながっていきました。

5)「一斉保育にのみに賭け」て障害児を「はみ出し者」にする保育を超えるには

①実践の事実から

ところで，「一斉保育にのみ賭け」る保育，つまりクラス全員を対象にした絵や合奏・体育などの教育的「課題」「課業」を中心におく保育では，障害児は「はみ出し者」になっていました。そうならないためには，どうすればいいのでしょう。

実践の事実として，Aちゃんが「いちばん楽しそうに」友だちと関わり「いちばん生き生きしている」のは午睡前のひとときでした。Cちゃんと同じ1972年に入園したDちゃん（ぞう1組）が給食当番に自ら参加したり「『オカアリ（おかわり）』っていった」など園中にニュースをふりまいたのは，「ほとんど・・給食場面の出来事」でした。

この「給食場面」の意義について，清水は次のように述べていました。つまり，「大体において給食の場というのは集団生活をさらにたのしくさせてくれます」し，「給食やおやつを配る当番の仕事をする中で，友だち関係がさらに確かな，深いもの」になっていく

のだと。

　実際，Ｄちゃんの場合，「給食の場」は集団生活に入っていくう
えで「第１の関所」でしたが，同時に「第１の扉」でもありまし
た。そのことは，「集団生活をさらにたのしくさせてくれる」給食
の場面での「よってたかって」の関わりを通して，Ｄちゃんが「給
食を待つ」ようになったこと，また「１か月もしないうちにグルー
プの一員として当番の作業を分担していった」ことからもわかると
いいます。

　あるいは，昼寝もＤちゃんが集団生活に入って行く「１つの扉」
だったそうです。というのは，「昼寝もまた集団生活の中ではちょ
っとしたたのしみの場」であり，「おなかもふくれ，服は脱いで身
が軽く，しきつめたフトンがある，小さい子どもたちは子犬のよう
にころがりまわって身体をぶつけ合って」遊んでいたからです。生
活グループの子どもや世話好きの女の子がやって来て，Ｄちゃんも
「いやおうなしにこの動きの中にまきこんで」いきました。そんな
中で，はじめは服を脱ぐことさえ嫌がっていたＤちゃんも，「友だ
ちのねているフトンの中に入りこんだり，上にのったりしてほほず
り」をするなど，「自分の方から，友だちに関係をもって」いきま
した。[80]

　Ｃちゃんも，「日常的な生活をする基礎集団」の中で友だちとの
関わりが生まれてきます。実はＣちゃんは「歩行の獲得という課
題」をもっていたので，１週間のうち２回，こうさぎ組（歩行の獲
得を課題にしていた１歳児クラス）に入っていました。ところが，
こうさぎ組の担任から，「Ｃちゃんをこのクラスにつれてきて，本
当に意味があるのだろうか」「乳母車を押させたり，ジャングルジ
ムを伝い歩きさせたりしてはいるけれども，そんなことだったら，

ぞう組のなかででもできることではないか」「ぞう組と別れるときはいつも泣くし，しばらく泣き続けている‥これでは，Ｃちゃんにやる気がわいてくるように思えない」などの意見が出されました。それまでも，ぞう組とこうさぎ組の保育者はＣちゃんのことについて話し合いをもっていましたが，「お互いにどうも確信のあるとりくみはできていません」でした。

　ある日，泣いているＣちゃんをこうさぎ組に残して，ぞう組が散歩に出ようとしたところ，子どもたちから「せんせ，Ｃちゃんもつれていってやろう」「そうや，そうや，かわいそうやんか」の声が。「そうかて，Ｃちゃんは先生が手を引いてあげんと歩けないし，先生はみんなが勝手に歩いている散歩では危なくて気が気でない‥先生１人で２人分もできないやんか」と実情を訴えたところ，「ぼくらあ，自分でちゃんとするから，先生はＣちゃんつれていってやり」とまじめな顔でいう子どもたち。思いきって出発してみると，「いつもと違って見違えるようなりっぱさ」で，列を確かめ注意しあいながら散歩する子どもたちでした。保育者は，Ｃちゃんにつきっきりで最後からゆっくりとついていき，Ｃちゃんも「ニコニコでスースーと足を運びみんなと散歩を楽しみ」[81]ました。それ以来，Ｃちゃんがこうさぎ組に残ることはほとんどなくなったのです。

　そして，散歩を一緒に楽しむという経験の蓄積が１つの契機になり，Ｃちゃんは「歩行の獲得という課題」も達成し，入園８月後に「１人で39歩も，歩いた」のです。

　このような「日常的な生活をする基礎集団」のなかでの給食・昼寝・散歩を通して，子どもたちは，Ａちゃん・Ｃちゃん・Ｄちゃんが自分たちとは「一緒じゃないけど一緒」であり「一緒に給食を楽

しんで食べるっていう意味ではきっちり同じ」[82]だということを，「見つけてくれる」のでした。

このような実践の事実を踏まえて，清水は，障害のある子どもが「組の一員」になっていくには，「やっぱり，生活を基礎におかないと，そこをメインにしないとできない」し，また「生活を楽しんでいると，そういうこと（その子にあった参加のし方－引用者注）が見えてくる，子どものなかからね」と述べていました。[83]

「生活を基礎」に置き「生活を楽しんでいる」なかでは障害児も「組の一員」になっている，いいかえれば「さびしい人のいないクラス」がうまれつつあるという清水らの発見は，「一斉保育にのみ賭けて，午前10時から11時ころまでの時間に大半のエネルギーを費し」てしまい，「給食になったら，"ヤレヤレ，あとはひるねして，おやつを食べてさようならでおしまい"」というような保育内容の構造の転換，つまり教育的「課題」を重視し給食・午睡・散歩などの「日常的な生活」を周辺化するような保育内容の構造を転換させる1つの重要な手がかりとなりました。

②「障害をもつ子も仲間として楽しく生活する保育」へ

この保育の転換の方向性について，清水は，次のようにいっていました。すなわち，「じょうずに絵をかいたり，合奏したり，体育したり，文字をかいたりということもたいせつには違いありません。でも，それだけを追求するのではなく，食べたり，寝たり，ケンカをしたり，泣いたり，笑ったり，おしっこをしたりする生活そのもののなかで，人間としての気持ちの高まりや感動を育てあげることも，さらにたいせつな保育の中身ではないだろうか」と。

これは，もちろん「じょうずに絵をかいたり，合奏したり，体育

したり，文字をかいたりということ」を否定したものではありません。その「たいせつ」さは認めた上で，「一斉保育にのみ賭け」る保育を超えていく方向性を提起したのです。清水はまた，「障害をもつ仲間の子を切りすてることで，絵や合奏がじょうずになる保育を選ぶか，そうしたことがさほどじょうずにできなくっても，障害をもつ子も仲間として楽しく生活する保育のほうとどちらを選ぶか」という問いを投げかけながら，後者の方向へ保育の転換を図っていきました。

③「生活を基礎」に置いた保育園保育と学校教育との違い

　つくし保育園の親と保育者は，この「生活を基礎」に置き，そこを「メイン」とした保育に強い関心を寄せていきました。そのことが，保育園と学校の違いを浮き立たせることにもなりました。

　たとえば，先の「つくし保育園30周年座談会」には，卒園生の母親が在園中に「ふと」もらした言葉が紹介されていますが，その内容が極めて象徴的です。すなわち，この母親がいうには，「（保育園では）生活っていうのが基盤だったから，普通の子ども達と同じように保育園に通うという生活が実現したけれども，学校へ行くっていう所でね‥はっきりと差別される」のだと。この発言を聞いた保育者は，保育園では障害児が「みんなと同じような生活が（でき）成長したっていう実感」を保護者にもってもらえたけれど，「就学の時にお母さんが本当にショックを受けられる」のだということを痛感しました。同時に，「そこが学校教育との違いなんだろうけれども，本来の障害児のこれからのあり方をどうやっていくのか‥保育園の基本的な考え方を延長できないものか」[84] と考えたそうです。

　つまり，つくし保育園の親や保育者たちは，園の保育は「生活‥が基盤」という「基本的な考え方」のうえに成り立っているので障害児が「みんなと同じような生活」を楽しめるけれど，その考え方をさらに「延長」していけるかどうかというところに「学校教育との違い」をみていたのです。[注17]

　卒園児の親や保育者たちのこのような学校体験もまた，「保育所は乳幼児学校ではない」という保育園（保育）観を形成していく有力な要因の１つであったといえるでしょう。

6）「生活を基礎」に置いた保育と長時間保育との関連

①「あらゆる時間帯の生活のなかに保育の意味をとらえる」保育を

　この「一斉保育にのみ賭け」る保育から「生活を基礎」にした保育への転換は，障害児保育実践のなかだけで自己完結的に行われたのではありません。つくし保育園における長時間保育の内容の充実とそれを可能にする勤務体制の改善とも深い関連がありました。

　清水によれば，「本来の‥仕事の質」からみて，「子どもを園の中のしかも課業的時間だけでとらえるのではなく，大津の地域で生活し，24時間のうち，10時間を園で生活している子どもととらえるところに保育の基本的視点がある」はずなのに，園の保育はそうなっていませんでした。[注18] つまり，「課業的時間」だけではなく，朝夕を含む「あらゆる時間帯の生活のなかに保育の意味をとらえる点では，今の私たちの姿勢は弱い」ことが問題でした。

　また，「９時半から４時の間に保母が比較的大勢いて，その間に『保育』をすませてしまい，父母との交流，子どもとの出会い，また別れという重要な時間である朝の７時半から９時半，夕方の４時

から６時半には保母が非常に少なくなってしまっている」という状態についても，「改善の必要が大いにある」とみていました。

　もちろんつくし保育園では，必要に応じてこの状態の改善を試みてきました。たとえば，４歳児ＣちゃんとＤちゃんの入園問題に直面した1972年，同園には解決すべき問題が３つありました。それは，①長い間の懸案であった長時間保育の内容の向上，②４歳児38名・５歳児16名という人数の不均衡に対応するクラス編成，③４歳児２名の障害児の受け入れをどうするか，という問題でした。いろいろな検討を経て，４・５歳児混合の２クラスを編成し，各クラス２名の保育者が早出と遅出で朝から夕方までをカバーする「部分的二部制」という勤務体制をとることにしました。このクラス編成と保育体制によって，２人の障害児を各クラスに１名ずつ受け入れることができました。同時に，９時45分から16時までだったクラス別の保育時間を９時から17時までに延長し，それまでの「薄まった保育が余儀なくされている状態」だった夕方の保育の充実（地域の公園に散歩に行き，地域の子どもたちと遊ぶなど）をはかるなど，長時間保育の内容を改善させることも可能になりました。[85]

　その後，1974年に，クラス担当替えに伴う勤務体制の変更が必要になった時にも，徹底した議論をとおして，労働組合でも「むり」「できない」と思われてきた「休憩をとる」ことと「労働時間を短縮する」ことを「統一的に解決」する勤務体制を導入しました。これは，長時間保育の内容の向上を意識してのことでもありました。というのは，この勤務体制によって17時半までクラス別に保育することも可能になり，夕方の生活をさらに充実させることができたのです。特に５歳児は，この時間に散歩に行く，地域の公園で遊んだり学童との交流ができるようになりました。また，朝夕の交流など

「父母との関係を深める」こともできるようになりました。[86]

　つまり，このクラス編成と保育・勤務体制の改善は，障害児の受け入れを拡充するとともに，長時間保育の内容の充実も可能にしました。同時に，障害児保育と長時間保育とに共通する課題であった「一斉保育にのみ賭け」る保育から「生活を基礎」とした保育への転換，あるいは「課業的時間」だけではなく，朝夕の時間帯を含む「あらゆる時間帯の生活のなかに保育の意味をとらえる」保育の探求を支えていったのです。

②「日常生活」をベースにした「自然」な教育への期待と「学校」的保育からの決別

・長時間の園生活の問題とおとなとの生活・活動への参加

　ところで，清水とつくし保育園の保育者たちは，園で長時間過ごすことによって「子どもたちに欠けている」ものがあることも懸念していました。

　特に，保育園が「基本的には子どものため生活の場」であることによって，「おとなを中心にした実社会のなかでの生活体験が少なく」なり，そのために子どもが「ある種の知識・常識の弱さのようなもの」を抱え込んでしまうことを心配しました。たとえば，カレーライスの材料は知っていても，それを作ることを見る機会が日常生活のなかにどれほどあるのだろう。軽い小言をいいながら，針に糸を通し，慣れた手つきでとれたボタンをつけてくれる母親の手元を見ているという機会はあるのだろうか。このように「親が日常生活のなかで何気なくやっていることことを見ながら，子どもが自然に身につけてきたことや，親も知らず知らずのうちに自然に教育している」ことがたくさんあったはずなのに，園で長時間生活する子

どもたちにそういう機会は「ぐっと少なくなって」いるのではない
か。このように，子どもたちが園で長時間過ごすことによって，お
となとの生活・仕事に参加する機会が減り，「自然」で多産な「教
育」が奪われることを心配したのです。[87]

　しかし，「子どもは子どもなりにおとなの世界に関わりをもつこ
とを望んで」いるのではないか。そう考えた清水たちは，子どもが
おとなとの生活に参加し，おとなが保育園の生活に関与してくる機
会（花壇作り・畑作り，地域のスポーツカーニバルでおとなたちの
「ほんものの」サッカーやバレーボールを見る）を保育のなかにと
りいれていきました。また，園の仲間やおとな，あるいは地域と関
わる「日常生活」のひとこま（長期欠席の子へのお見舞い，産休や
病休保育者の「おみまい」の手紙や絵を書（描）く，園合宿の買い
物とカレー作り，園の年末大掃除，年下の子どもたちの昼寝やおや
つのお手伝いなど）を保育に組み込んでいきました。[88]

・「何かを教え込む」という「学校」的保育から「生活を重視」す
　る保育へ
　このようにおとなとの活動や仕事への参加を進めていった背景に
は，親や家族・地域のおとなとの「日常生活」とその「自然」で多
産な教育力を回復させたいという願いがあっただけではありませ
ん。そこには，「今まで教育の場だからといって肩はって，こんど
はリズムです，こんどはおゆうぎです，こんどは何々です」といっ
てやってきた園の保育への反省もからんでいたのです。
　この反省は，ほぼ同時期に自らの実践をふまえて「生活保育論」
を提唱した本吉圓子の指摘とも重なります。本吉は，「幼児教育は
生活教育で小学校教育とは一線を画す」といわれながらも学校教育

の影響を受け続け，「遊戯や手技を教える」など「何か教科的な，課題を一斉に与えないと気がすまないという体質は根深い」[89]と指摘していたのです。

　それにしても「子どものため生活の場」である保育園が，「教育の場」として「何か教え込む」ところに落ち込んでいったのだとしたら，それはなぜでしょう。それは，幼稚園や学校と同様に，保育園がおとなとの生活や活動・仕事から子どもを切り離し，将来に向けて準備させるために創り出された「指導」の場であったことと関係があるかもしれません。[注19]

　ともあれ，清水やつくし保育園の保育者たちは，おとなとの生活・活動への参加も含む「日常生活」とその「自然」な教育力に注目するなかで，それまでの「子どもの教育といってきた，その何か教え込むようななかからは得られないものがある」ことに気づき，「生活を重視」[90]する保育を探求していきました。

　ということは，「肩はって」「（リズムやおゆうぎを）教え込む」ことこそ「子どもの教育」だとみなす保育からの脱皮は[注20]，「絵や合奏がじょうずになる」よう「一斉保育にのみ賭け」て障害児を「はみ出し者」にする保育からの転換と通底していたといえます。見方を変えれば，この転換は，保育園とは「何か教え込む」「教育の場」ではなく，「日常生活」による「自然」な教育を中心とした場であり，その点で「小学校教育とは一線を画す」のだという保育園観を実質化していくことでもあったのです。

65

7 保育の「閾値」と親・家族の生活にとっての保育園の意味

1) 障害児とその親・家族の生活状況の理解と援助

①家族だけでがんばるほど「あたりまえの生活から遠ざかる」状況

ところで，障害児を受け入れ保育するにあたっては，その子の親や家族の生活も視野に入れ支援することが求められていました。

というのは，障害児を抱える家族は，他からの支援を受けられず，家族のもつ条件だけで対応することも多かったからです。そのため，対応の仕方が「単色化」[91]され，子どもと家族が抱える育児・生活上の困難が一層深刻になることがわかっていたからです。

たとえば，1967年に4歳児で入園した「動きまわる障害児」Bちゃんの場合についてみてみましょう。当時の大津市の保育園・幼稚園20数か所すべてでBちゃんの入園を断られた母親は，つくし共同保育所のことを聞き，「ここでことられたらもうどこへも行くところのない」と「わらをもつかむ気持ち」で来訪し，「裁きを待つ人のように首をうなだれて」いました。

職員会議での議論では，「既成の幼稚園・保育園が拒絶して，こんなひどい条件の共同保育所がなぜ受け入れねばならないのか，そのことに怒り」が吹き出しました。しかし，その一方で，もしことわったら「当時としてはめずらしい女性ドライバーとなって，Bち

ゃんをうしろの席にのせてあってこっち走り」まわっている母親を
ますます追いつめてしまうことになります。あるいは、「家の部屋
には上のほうにカギをとりつけて（Ｂちゃんが）かってに出ていけ
ないようにして」[92]いるような生活から抜け出せなくなります。

また、1972年５月に入園した「軽い自閉症」のＤちゃんの場合、
東京から大津に転居してきて間もない頃、「友だちとあそばせるこ
とがいい」と医者にいわれた母親は、地域の事情もわからないま
ま、「子どものあそんでいそうな場所を毎日さがしまわって」いま
した。Ｄちゃんは、家庭のなかでは「母親とだけ関係をもち、おじ
いちゃん、おばあちゃん、お父さん、弟‥とはまったく無関係」
でした。それどころか、おばあちゃんにとっては「不可解な存在」
だったといいます。そのために、「自然にお母さんがＤちゃんにか
かりきりで、弟はおばあちゃんが世話をするという形」[93]になって
いました。

67

このように、障害児を中心とした生活のなかでは、「家庭生活に
も無理がかかり歪み」がうまれます。また、家族ががんばればがん
ばるほど「普通の家庭とは違った姿」になり、「家族ぐるみ、あた
りまえの生活から遠ざかる」[94]のでした。

②生活を再組織していく親・家族

清水やつくし保育園の保育者たちは、このような親や家族の生活
状況も視野に入れて保育にとりくんでいきました。そして、親や家
族は、園の保育に支えられて自分たちの生活を変えていきました。

たとえば、Ａちゃんの母親は、「大津市障害児父母の会」の機関
紙に寄せた一文で、『なかば諦めの気で生きてきましたが、今やっ
と前向きに生きているというか、とにかく苦しくても充実した毎日

を送ることができるような気がする』と書いていました。あるいは，園の実践のまとめに感想を寄せ，「『Ａちゃん　生まれてきて良かったね』心からそういえる程，楽しく充実した毎日でした・・重複障害を持っているＡちゃんが保育園に入り，楽しい毎日を送ることのできたこの幸せな私たちの気持ちを，世の障害児を持つひとりでも多くのお父さん，お母さんに味わせてあげたい」[95]と書いていました。そして，そう園生活をふり返った母親は，「大津市障害児父母の会」の活動に参加し，その機関誌に投稿することをはじめとして障害児保育の発展に力を尽くしていったのです。

　また，Ｄちゃんの変化が母親や家族の関係にもたらした変化は非常に大きいものでした。たとえば，「Ｄがパパオカエリっていったんですよ」「耳を疑いましたわ。それから家中大喜びでした。お父さんが喜んでねエ」と，母からの朗報が届きました。また，入園1か月たった6月頃，「Ｄの表情が明るくなったとおばあちゃんが喜んでいるんですよ」とうれしそうに話す母親の姿がありました。こうして，「お母さんがＤちゃんにかかりきり」という閉ざされた関係が家族全員との関わりへと広がっていきました。その過程で，大津のことや障害児のことを何も知らなかった母親が，7月には，大津ではじめておこなわれた自閉症児をもつ親の会"カナリヤ会"に保育者を誘い，保育者2人と一緒に参加しました。また，同会の初代会長にもなりました。翌年の2月には，障害児全員入園を求める署名活動にとりくみ，Ｃちゃんの母親と一緒に，園の玄関でお迎えの父母に訴えていたのです。

　Ａちゃん・Ｂちゃん・Ｄちゃんの母親は，園の保育を通してわが子が育つ姿に励まされるとともに，障害児保育の進展のために自分と家族の生活や人間関係を再組織していったといえるでしょう。

2) 長時間保育児の朝食・おやつの改善と家族の生活支援

　園の理解と援助を支えにした生活の再組織という点では，つくし保育園が同時期に挑戦した長時間の保育における朝食やおやつ・夕食問題のとりくみにも注目したいと思います。

　当時，長時間保育のなかで，「子どもたちがどういう問題をもっているか」について，保護者を対象にアンケート調査を実施しました。その結果，「一番大きいものが食事の問題」だったといいます。特に，朝食を食べてこない子の問題が深刻で，2/3の子が7時〜7時半の間に食べていましたが，その一方で，「朝食をしてこない子」が10％，「時々食べてきて，時々食べてこない」子が30％もいました。

　実際，朝8時前に子どもを連れてきて，玄関先や自動車内で「早く食べなさい」と急かしながらパンを食べさせたり，食パンの焼いたのを手ににぎらせながら「朝たべていないのですいません」と伝言していく親の姿がありました。「朝は手がうすい」ので，保育者はかかりきりになれませんし，食べものを持っていると他の子も集まってトラブルになります。また，保育者によって対応が違うのを親も知っていて，「あの保母さんだったら」なんとかなるというようなことも起こります。

　子どもはというと，朝元気がなくて「じめじめして遊ばない子がずいぶんいる」し，そういう子は「午前中のオヤツを食べるととたんに元気になって遊びだす」のです。こういう姿を見ると，「朝食をちゃんと食べるかどうかというのがたちまち保育にかかわってくる」ことが明瞭です。しかし，懇談会で口をすっぱくして「朝食

を」といっても,「現実としては食べてこない」のです。

　職員会議では,「朝食の問題は・・完全に家庭の問題だ。どんなことがあっても親がきちっと食べさせてくるのが当たり前」という意見と,「そうはいっても朝たたきおこされて,食べろといっても・・食べないんではないか。だからなんとか園の方で考えていかないといけないのじゃないか」という意見とがあって,結論が出ません。ただ,「要するに子どもは朝ごはんは食べんとあかん」ということだけは全員が一致しました。

　とはいえ,時間帯だけでいうと,7時半から開園し7時から8時にほとんどの子が朝食をとると考えると,朝食を食べていない子どもの問題は,その子たちへの「特別扱い」によって解決すべき問題ではなく,「開園している時間内の問題」であり,園として解決すべき問題ではないか。清水や同僚の保育者たちはそのようにとらえていきました。しかし,そうはいっても「一体,だれが,どこで食べさすか」が問題でした。また,夕方の保育の充実や「夕食を待ちきれずに(間食で)空腹を満たしている」子どもたちのことも考えると,「貧弱な」おやつを改善することも必要でしたが,量や質,食べる時間,調理員の増員,給食予算の増額や調理器具の購入などをどうするかが課題でした。[96]

　その後も,朝食・夕食問題の検討は継続していきました。朝食については,保育園で朝食を用意し,必要な子どもに食べさせるとりくみを1か月間行い,その結果もふまえて,「家で朝ご飯が食べられない子は,朝食を持ってきて,保育園で食べる」ということにしました。それは,アンケート結果に基づいた職員会議での議論から,実に7年も経ってのことであり,清水がいづみ保育園長として勤務していた時のことでした。[97]また,朝食をどうするかという問

題と並行して，夕方の生活・遊びの充実や帰宅後の食事までの親子の安定した過ごし方も視野に入れ，おやつの内容の充実も一貫して模索していきました。

　親や家族は，こういった「保育所がもつ空間的，時間的資源」をはじめとする多様な「資源」を得て，「生活の平準化の基盤や糸口を見出し」ながら，「子どものいる生活を維持して」いったのです。[98]

3) 子育て期の家族にとって「社会的空間的レジリエンスを生み出す場」としての保育園

　清水とつくし保育園の保育者たちは，園の全職員が参加した「くりかえし」の話しあいなどを通して，障害児の親・家族の生活状況の理解と援助のあり方を模索していきました。また，アンケート調査も活用して長時間保育児とその家族の朝夕の生活状況を把握し，その実態分析にもとづいて徹底して話しあい，保育園としての対応のあり方を探っていきました。

　つまり，つくし保育園の保育者たちは，「なぜ，ここまでして子どもを受け入れるのか」と受けとめきれない現実を前にしながらも，激論も含む一連の話しあいと主任としての清水の「方向づけ」などによって，「保育集団として保育を作り上げている感覚を分かち合える」ようになっていったのです。同時に，その話しあいの「くりかえし」と実践的な探求を通して，「保育の『閾値』を徐々に理解」し，いろいろな生活状況にある子どもと親（家族）を受けとめていく可能性を広げていきました。

　このようなつくし保育園のとりくみは，「子育て期の家族と保育

集団とが共に社会的空間的レジリエンス（回復力，復元力—引用者注）を生み出す場」[99] が保育園であるということを浮き彫りにしていきました。それはまた，「保育所は乳幼児学校ではない」という清水の保育園（保育）観を形成していくバックグラウンドでもあったといえるでしょう。清水にとって，「みんな同じ」で「特別扱いしない」ことによって，社会構造的な背景をもつ子どもと家族の生活状況と教育を分断し，「異質」な少数者として排除しがちな学校（教育）は，保育園（保育）とはなじまない存在だったのです。

8 おわりに

　以上のことから，清水住子とつくし保育園の保育者たちが，保育園（保育）と学校（教育）との違いを意識していく契機は多面的だったといえます。

　その1つは，つくし保育園が大事にしてきた「自分の頭で考えて，行動する」という子ども像からみて，「みんなそろう」ことを良しとする学校教育（が期待する子ども像）に強い疑問をもっていたことです。2つめは，保護者・保育者は「生活を基礎」とし「生活を楽しんでいる」保育のなかで，障害児が「組の一員」として「みんなと同じような生活が（でき）成長したっていう実感」をえていましたが，その保育を「延長」していけるかどうかというところに「学校教育との違い」を感じていたということです。3つめは，保育者養成の中で身につけた「学校前の予備校的な教育」こそ「恰好のいい保育」という保育観と対峙し，オシッコやうんちの世話に象徴される「本当の保育」の意味を発見していった保育者たちがいたということです。4つめは，障害児がクラスの仲間と「一緒に」生活し遊ぶようになっていくためには，「みんな同じ」ように達成を求める「学校」的な目標・課題意識を超えていくことが必要だと気づき始めていたことです。5つめは，「一斉保育にのみ賭け」，「教育の場」として「肩はって」「何か教え込む」ことこそ「子どもの教育」だとみてきた保育・幼児教育観から脱皮を試み，「小学校教育とは一線を画す」べく，「日常生活」をベースにした

「自然」な教育を模索していったことです。以上は，「（広義の）保育方法」からみた保育園（保育）と学校（教育）の違いの気づきだったといえるでしょう。

　そして6つめは，障害児保育や長時間保育などに挑戦しながら，保育園とは「（いろいろな生活状況にある―引用者注）子育て期の家族と保育集団とが共に社会的空間的レジリエンスを生み出す場」であるということを確認し共有し続けたことです。これは，学校とは異なる「福祉」の場として保育園の役割・目的を（再）確認することでもありました。

　以上述べてきた学校的子ども観への疑問，障害児が「組の一員」となるような「生活を基礎」とした保育の探求，保育者養成のなかで身につけた保育観との対峙，「学校」的な目標・課題意識への警戒，保育園は「日常生活」による「自然」な教育の場という確認。そして「保育に欠ける」障害乳幼児や長時間保育児を受けとめるとともに，その家族と保育者が「共に社会的空間的レジリエンスを生み出す場」が保育園であるという社会的・制度的な目的の確認。こういった多面的な契機が絡みあって，清水住子の「保育所は乳幼児学校ではない」という保育園（保育）観は形成されていったといえるでしょう。

　この清水住子とつくし保育園の保育者たちの保育園（保育）観は，学校（教育）と保育園・幼稚園（の保育）との違いに注目し両者の「混同」を問い続けた和田實や倉橋惣三[注21]，あるいは本吉圓子らの保育・幼児教育観とつながっているようです。しかし，それだけではなく，1960年代から1970年代にかけての「保育の社会的問題」，つまり障害児保育や長時間保育などに挑戦するなかで，保育園（保育）のあり方に新たな光をあて，学校（教育）との制度的・

実践的な違いをいっそう明確にしていきました。そのプロセスで，清水らは，制度的には「保育に欠ける」障害乳幼児とその保護者を「排除」せず「ひとりぼっち」にしない保育園づくりを，実践的には「生活を基礎」においた「さびしい人のいない」園やクラスづくりを探求していったのです。

　この保育園（保育）観は，清水が園長として赴任したいづみ保育園にも引き継がれ，新たな保育問題との格闘を通してより強固で豊かなものになっていきました。

1　福元真由美（2016）は，「保育方法」に着目し，保育所・幼稚園・
　学校の関係の歴史を整理しているのですが，その際，「保育方法」を
　「広義」「狭義」にわけています。「広義」の保育方法は，「保育の目
　標，内容，計画，環境，技法すべてに関わる概念」であり，「狭義」
　の保育方法は，「保育を成り立たせる基盤となる基本的な原理」に関
　するものだとしています。

2　これは，保育所保育の制度的な目的にかかわります。なぜなら，保
　育所は単に「乳幼児を保育」するのではなく，「日日保護者の委託を
　受けて，保育に欠ける（現在は「を必要とする―引用者注）その乳児又
　は幼児を保育することを目的」とする施設です。つまり，保育所はそ
　れぞれの家族の「生活の条件」「生活の問題」により「保育に欠ける」
　乳幼児を保育することを目的とする点で，「教育を施す」ことを目的
　とする学校とは異なります。

3　たとえば，苅谷剛彦は，わが国の学校は「どの地域の，どの学校で
　も，中学校卒業までは基本的にみんな同じことを勉強する」場であ
　り，「今ある教科の区分や教科書のスタイルをもとにして・・どのクラ
　スでも同じように同じような内容を同じ時間勉強するということを基
　本に，今の学校のしくみはできあがっている」といいます（苅谷
　（2005/2017）学校って何だろう．筑摩書房．102-104）。また，苫野一徳
　は，今日のわが国の教育問題は「学校システムの問題」といいます。
　つまり，「みんなで同じことを，同じペースで，同じようなやり方で

勉強させる」という学校教育のシステムが「今いたるところで限界を
迎えている」というのです（苫野（2019）「学校」をつくり直す．河出新
書．18，39-40)。公立小学校教諭の佐藤晋也も，「学校というものはみ
んなと違うことを極端に嫌います」と指摘しています（佐藤（2014）
手さげでいいの？．塩崎義明編著．学校珍百景．学事出版．32-35)。

　その際，「みんな同じ」ということは，「特別扱いしない」ことにも
なります。つまり，教師（や保育者）が，貧困問題等を抱える子ども
を「特別扱いしない」ということです。ここには「差異を見えなくす
るための『特別扱い』」も関係します。盛満弥生によれば，これまで
日本の学校では，「親の経済力など家庭の状況によって児童・生徒を
区別せず，どの子にも同じように接する」ことが教師たちに求められ
てきたそうです。そのため，「生徒を家庭背景や成育歴によって『特
別扱いしない』学校文化」が醸成され，「本来であれば，子どもの状
況を一番把握しやすい，そして，貧困層の子どもが常に一定数存在し
続けていたはずの学校現場で，貧困の問題がこれまでほとんど立ち現
れてこなかった」といいます（盛満（2011）学校における貧困の表れと
その不可視化−生活保護世帯出身生徒の学校生活を事例に．教育社会学研
究．第88集．273-294/ 盛満（2015）学校関係者の貧困認識の特徴とそれが
提起する課題．教育．837．43-51)。つまり，わが国の学校（文化）は
「みんな同じ」で「特別扱いしない」ことによって，子どもと家族の
生活と学校（教育）を分断し，貧困等の社会構造的問題をかかえる子
どもたちを学校（教育）から排除していたといえます。

　志水宏吉も同様の指摘をしています。つまり，「みんなが同じでな
ければならない」という「学校文化」のもとで，子どもたちは「等質
的な」児童・生徒と位置づけられてきました。そのために，「それぞ
れがもつバックグラウンドの違い・・は後景に」追いやられ，差別や

貧困などの社会構造的な問題も「徹底的に『個人』化して捉えられ」,「学校文化に同化されえない部分（＝異質性）」として「徹底的に排斥」されてきたそうです。その結果,差別や貧困問題などをかかえる「マイノリティーの子どもたちは,学校教育から系統的に排除」されてきたといいます（志水（1996）学校＝同化と排除の文化装置―被差別部落民の経験から. 井上俊ほか編. こどもと教育の社会学. 岩波講座現代社会学12. 岩波書店. 57-77）。

　同時に,教師たちは生活に困難を抱える子どもたちを「特別扱い」してきたそうです。しかし,「教師の良心に依拠した配慮・支援」が試みられたとしても,それは「貧困による不利への積極的働きかけというよりは,むしろ他の生徒たちとの『違い』を少しでも見えなくするため（目に見えやすい―引用者注）差異を埋める形で行われる」ことになりました。たとえば,「貧困層の子どもが学校で示す課題は,時に『多少のお金で解決する問題』であり,教師たちは自身のポケットマネーで資金援助を行うことによってそれを解決しよう」としました。そのために,「貧困家庭の子どもの問題が,貧困層に共通する問題としてではなく,彼／彼女自身の問題として『個人化』されることにより,学校から貧困層の子どもたちの姿は見えにくく」なっていったそうです。

　つまり,「『特別扱いしない』学校文化と,差異を見えなくするための『特別扱い』」が,「学校の中における貧困の問題をより見えにくく」したというのです。もしそうだとすると,『同質化の機関』（志水宏吉）といわれるわが国の学校における「みんな同じ」という制度・実践原理と,社会構造的な要因による「家庭背景」「家庭の（経済）状況」の違いや困難を受けとめる「福祉としての保育」の制度・実践原理とのあいだには,大きな違いがあります。

　とはいえ，子どもたちの「家庭背景」「家庭の（経済）状況」に向きあい，その生活状況と学校（教育）をどうつなぐかを模索した教師や研究者たちがいたことも事実です。

　たとえば，1950年代以降，不就学・長期欠席児（多くは被差別部落の子どもたち）の問題に取り組んだ教師たちがいました。かれらは，「貧困のあらゆる刻印を身につけた」親子に向き合う中で，家計を支えるため働かざるをえない子どもが学校にいけない，学校に行っても「いちじるしく学力が立ちおくれる」，家庭にも学ぶ環境はないなど，「現実の生活が，学校教育と絶対的に矛盾している」事実を突きつけられ，「教育の機会均等」の原則が「現実にはいかに差別的なものであるかをいやおうなしに認識させられ」ました。そして，「生活と教育の結合」という観点から「教育」のあり方を問い直し，「差別と分裂の状態におかれている子どもを人間として結合する，『集団づくり』の教育」などを模索していきました（小川太郎教育学著作集．5．青木書店．1980．100-114）。

　この一群の教師たち，とくに長欠・不就学問題に対処するために高知県が独自に配置し，「特定の学校に籍を置く教員でありながら校外を駆けめぐることを主たる務めとし，児童生徒の生活状況と学校教育との間に起こるさまざまな矛盾に立ち向かおうと奮闘」した「福祉教員」の活動が，近年，あらためて注目されています。そこでは，差別・貧困・生活苦のなかで「労働市場に包摂されることで（家族の）生活・生存の道をつないで」いた長欠・不就学の子どもたちを，「教育福祉の手で労働市場から子どもを切り離し，学校教育システムに包摂することは，生活・生存保障脅かすことになりかねない」という「絶対的矛盾」に直面して悩み格闘する「福祉教員」の姿がリアルに紹介されています。つまり「（学校）教育の論理と生活保障・生存保

障との接続」，あるいは学校教育と福祉をどうつなぐかという制度的・実践的な探求もあったのです（倉石一郎（2018）増補新版　包摂と排除の教育学－マイノリティ研究から教育福祉社会史へ．生活書院．32-36，444-447）。

　教室実践においても，「みんな同じ」学校文化を問い直し，「生活」とつなぐ「教育」のあり方が模索されてきました。たとえば，生活綴り方と学級文集の成立史を検討している永田和寛によれば，学級文集を通して子どもたちのつながりを「編集」し，学級・学校を「安心」できる場にしようと模索してきた多くの綴り方教師は，「『みんな同じ』であるから『安心』できるのではなく，『みんな違う』ことへの承認から，いかにして『安心』という目標を語り出すのか」，そのために「さまざまな生活の背景を抱えた子どもたちどうしをどのように出会わせ，つなぐのか」という課題に，今あらためて向きあっているといいます（永田（2021）編集室としての教室－学級の「安心」を編む．教育目標・評価学会編．〈つながる・はたらく・おさめる〉の教育学．日本標準．72-83）。

　なお，今日の多文化教育研究が，「特別扱いしない」で「『みんな同じ』であることを強いる同化主義的な日本の学校文化」（坪田光平（2020）学校－子どもの生きにくさから考える．額賀美沙子・芝野淳一・三浦綾希子編．移民から教育を考える．ナカニシヤ書店．91-102）に抗して，「『特別扱いする学校文化』の形成」を試行する学校の挑戦に注目していることも紹介しておきたいと思います。たとえば伊藤莉央らは，「日本の学校では特定の生徒に教育資源を投入することは不平等であるとされ，『外国人だからといって特別扱いしない』という学校文化がある」という現状認識に立って，外国人生徒を「特別扱いする学校文化」の形成を試行する学校の挑戦に注目し，その意義を次のよ

うに述べています。つまり，「『特別扱いする学校文化』の本丸と言い
得るものは，校内の誰もが『多文化教育』に向き合うことで，多文化
ゆえに生じる葛藤とそれを調整するための『バランス感覚』を養う」
ことにあり，「外国人生徒を受け入れることで生じる多文化なコンフ
リクト」を通して，日本人教師や生徒が（「特別扱いしない」という）
学校文化を再考する機会となっている」のだと（伊藤莉央ほか（2019）
外国人生徒を「特別扱いする学校文化」の形成に関する考察−大阪府立特
別枠校の事例から．未来共生学．6．299-327）。

4 　この「大きな住居」という保育園観は，いづみ保育園建設にあた
り，その設計にかかわった建築家たちとのやりとりを通して明確にな
っていきました。清水が後年に書いた「いづみ保育園を建てる」とい
う論稿は，その事情を次のように伝えています。

　つまり，清水たちにとって，いづみ保育園建設は，「１つの保育園
を立てるというだけでなく，長い間の“保育所づくり運動”の成果を
形にしていくという，もう１つの大きな課題」を担っていました。
「大勢の父母たちの熱い思いをしっかりと形づくらねばならない。そ
の建物を一目見ただけで，さすがみんなの力を結集した保育園だと納
得できるものでなければならない」と思う清水は，この願いを「保育
園を手がけるのは初めて」という２人の青年建築家に「どう伝えられ
るか‥必死」だったそうです。というのは，「ありきたりの教室がＬ
字型に並んだ小学校の小型をイメージされたら大変」だし，かといっ
て「“こどもの城”のイメージで大型おもちゃのような建物を連想さ
れても困る」からでした。

　そこで，「一般的な保育園に対する概念くだきをやらないといけな
いと身構え」て，『保育園というのは，学校より旅館にちかいんです

よ』と，そのコンセプトを表現してみました。2人にその理由を問われた清水は，「学校のように勉強するところでないし，保育園は食べることや寝ることができて，一日の長い時間をそこで過ごすのだから，緊張よりもくつろぐことの方が重要な意味をもつところだから」と説明しました。同時に，「旅館ね，なるほどわかるよ」という2人が誤解しないように，以下のようなやりとりを続けました。

「でも，旅館とはちがいますよ」「そりゃ，そうでしょう」「第一，小さい子どもたちが入る建物ですし，それに旅館のように，通りがかりの人達を相手にするんじゃなくって，同じ子どもたちがずーといるんです。一日十時間以上もそこで生活するんですから」「なるほど，生活の場ですか」「そう，生活する所です。90人の子どもたちと保育者たちが一緒に暮らす大きな家ですね」「わかりました。一度，線をひいてみましょう」

これ以降，保育者の清水と建築家という「専門の違う両者が新しい保育園を創造する」ために，「通じ合う言葉をさがし，共通のイメージをさがし」ながら，何回となく話しあいを続けました。そこでは，「大切なものを囲んで，回廊になっている」お寺のように「食べることを中心にして，ぐるりと取り巻いて，どの場所からもそこへすぐ行ける」ような構造がいい，「自分で動けない子ほど，太陽と水と土が必要なの。一等地は0歳室にしてください」，「保母の休憩室は，厨房の側がいい。人間は食べ物のあるところへ集まってくるでしょ」，「働いて帰ってくる親たちには，やれやれ帰ってきたと"ほっ"とするような場所がどうしてもほしいわ。玄関に大きなベンチ（が）」などの考えや意見を清水が出し，それを2人の建築家が図面化していきました。こうして「図面の上に描かれた線」は，いづみ保園建設にかかわ

った人たちの「保育へのおもいと運動の成果」が，そしてまた「“保育園は生活の場“という理念」が「みごとに表現されていて，大いに満足」したといいます（清水住子（1991）私の球根．新読書社．196-200／内海豊（1982）安らぎのある生活の場．保育の友．30（3）．44）。

　この『保育園というのは，学校より旅館にちかい』という点については，聞き取り調査でも強調されていました。つまり，保育園は「学校のようにそこでため込んで教えて，これだけ育てましたっていうことを，見せて出す」場ではなく，「入ってきて，そこでほっとして安らいで，美味しいものを食べてお風呂に入ってやれやれっていう」場，その点で「旅館」に近いのだと。また，この保育園のコンセプトについては，立ち上げに際して新規に募集した職員とも「そういう話をよくしてました」といいます（清水住子氏への聞き取り，2017．8．29〜8．30）。この保育園は「旅館」「大きな家」「住居」であるという園舎観の形成過程と他園建設への影響（形だけの「真似」も）は，今後の検討課題です。

5　いづみ保育園が，「食べることを大切」にする保育を展開していったのは，職員集団づくりのためでもありました。というのは，1977年に開園したいづみ保育園は，共同保育で仕事をしながら認可活動をすすめる核になってきた9名の職員を含む新卒から経験のある人16人の集団でスタートしました。職員の経歴はいろいろで，認可保育所での保育経験がある人は1人のみで，そのほかは「共同保育でがんばってきた人たちとか，幼稚園でやってきた人」たちとの「寄り合い所帯」でした。そのため，園長として就任した清水は，「どういう集団をつくっていったらよいものかと・・悩んだ」そうです。

　そこで，まず「みんなが納得するものをとにかく1つだけ考えよ

う」と思い，「食べることを大切にしよう」ということを提起したのです。なぜなら，「どんな考えの持ち主であっても，絶対異論はないだろう」と考えたからです。実際，職員一同「そらそうや，と，一も二もなく納得」したそうです（清水住子（1990）保育実践－職場の職員集団づくりをどのようにしてきたか．季刊保育問題研究．126．新読書社．126．118-130）。

6　この236頁という大部の実践記録は，京大病院に入院した義母の看病のために，鈴木弘一園長の計らいで取得した「6ヶ月間特別休暇」を利用して書き上げたそうです（清水住子氏への聞き取り．2017．11．17）。つまり，その時間的な条件がなければ，この実践記録は生まれなかったともいえます。

7　荒木穂積は，「（障害児の）大多数は保育を受ける機会もなく，就学までの6年の『在宅』を余儀なくされることが少なくなかった」だけでなく，「就学を猶予されたり免除されたりして，教育を受けることができない場合も少なくなかった」といいます（荒木（1982）障害児保育．清水益實編著．現代の幼児と保育．総合労働研究所．149-176）。また，田中良三は，1970年代以降，障害児をもつ親の保育要求にこたえて先進的な地方自治体が障害児保育の制度化に踏みきる以前は，「障害乳幼児を受け入れ保育していたところはきわめて少な」かったといいます。障害乳幼児は「もっぱら『障害児専門機関』といわれる，児童福祉法が定める障害児施設と，学校教育法による障害児諸学校の幼稚部との二元的行政を軸に，そのほか医療機関や大学研究機関，親・学生のボランティアによる自主的取りくみなど多様な場でバラバラに保育されていた」のです。しかし，それらは「圧倒的に絶対数不足の

お寒い状態であったので，大多数の障害乳幼児はどこにも行き場がなく放置されていた」そうです（田中（1987）障害児保育．保育幼児教育体系12：これからの保育．労働旬報社．115-132）。

　その状況を裏付ける1つのデータがあります。それは，全国社会福祉協議会保母会研究部が1973（昭和48）年に行った「保育所における障害をもつ子供の保育の実態について（調査報告）」に同時掲載された神奈川県小児療育センター調査（1972）の結果です。茂木俊彦が紹介したこの調査結果では，「障害，問題を持っている子供の園への受け入れについての態度」に関する設問に，公立幼保57園，私立幼保102園が回答しています。その結果をみると，「積極的に受け入れても良い」と回答したのは公私立の幼・保159園中0園（0％）でした。「絶対に入園させない」と回答したのは公立の幼・保57園中12園（21％），私立の幼・保102園中52園（50.9％）でした。つまり，「ほぼ全面的に拒否的」であったということになります（茂木（1975）障害児保育論．さ・さ・ら書房．125-127）。

　こうしてつくりだされた「ひとりぼっちの障害児」「ひとりぼっちの母親（父親）」をなくしていくことが，重要な保育問題の1つになっていました。

8　1960年代から1970年代にかけて，全国的にも多くの園が，つくし保育園と同様に，産休明けゼロ歳児保育，長時間保育，障害児保育にとりくんでいきましたが，いずれも実施のための条件は極めて厳しかったのです。たとえば，当時の乳児保育について，保育者たちが『オシッコ，ウンチの始末屋』（無署名・三鷹会員（1966）昭和41年度厚生省の予算のうち三歳未満児受け持ち数について思うこと．さんりんしゃ．総集編．1974に再掲．35-36）と嘆いていたのは周知の事実です。また，そ

の実態を職員配置基準との関係で分析した調査報告があります。

資料1

保 母 労 働 時 間 算 定
0才児10人を保母2人で担当して
1日に要する時間（単位　分）

三鷹市立西保育所
3〜6ケ月児　　3人
7〜10ケ月児　　1人
11〜12ケ月児　　6人

1967年2月作成

保育プログラム	必要時間	現行時間	不足時間	内　　容	保母の活動と配慮
	分	分	分	朝	○ベットの清潔に注意する
環境整備	60	40	20	ベットの整理 部屋の掃除 玩具の消毒 家庭からの連絡 ①児童健康状況 　投薬、便の状況等 ②児童受け取り時間 ③連絡表の点検 夕 持ち物の整理 玩具の整理 洗濯物の整理	（ベットの柵をふきシーツ、カバーを交換する） ○室内に消毒水を用意する ○床を消毒水でふく（乳児は床で遊ぶことが多い） ○保護者との対応で乳児の健康状態、そのほかを観察する ○洗濯物を整理し、持ち物が紛失しないように注意する
健康管理	60	50	10	検温…1分計を使用しているが、子供が不機嫌であったり、動いたりするので1人につき3分を要する 　3×10＝30 ふとん干し 　タオル、エプロンの消毒及び洗濯	○検温は正確にし結果を表示する ○検温の前後は抱きあげて気持をおちつかせてやること ○晴天にはできるだけ布団を干す ○タオルの使用が多いので常に清潔なものを整えておくこと ○衣服の調節をする
おむつ交換	300	240	60	おむつ交換のため寝かされることをいやがって泣いたり、動いたりして時間がかかり、おむつかぶれ等の予防、手当を合せて1人につき6分を要する 1日交換回数　5回 　6×10×5＝300	○おむつや衣類に異物のないことをたしかめる ○おむつかぶれを予防し、手当をする ○便の状態をみる ○四肢の運動をさせる ○ガラガラやオルゴールなどでなごやかな雰囲気をつくって休息をさせる ○おむつ交換前後は抱きあげてあやしてやり愛情の交流に心をくばる

86

　「資料１」は，東京・三鷹市立西保育所が1967年に実施した「保母労働時間算定」調査の一部です（無署名論文（1968）保母労働時間算定.さんりんしゃ．２．46-49）。

　この調査は，０歳児10人（３～６か月児３人，７～10か月児１人，11～12か月児６人）を保育者２人で担当した場合（この時点での配置基準では６対１－筆者注）の１日に要する「労働時間」を算定しようとした試みであり，次のような計算法を用いていました。たとえば，「おむつ交換」については，「寝かされることをいやがって泣いたり，動いたりして時間がかかり，おむつかぶれ等の予防，手当を合わせて１人につき６分を要す」。１日の交換回数は５回。したがって，６分×５回×10人＝300分が「必要時間」です。しかし，「現行時間」は240分で，差し引き60分が「不足時間」であると計算しました。

　この計算式で，「環境整備」「健康管理」「おむつ交換」「午前・午後の授乳・離乳食」「睡眠」「運動（あそび）及日光浴」「記録」「保母個人の時間（休息・昼食など）」の保育プログラムごとに計算したところ，「必要時間」の合計は1530分，「現行時間」は990分で，差し引き540分（９時間）の不足が生じたのです。調査者は，この結果にもとづいて，乳児保育において「よりよい処遇を行う場合，保母１人が不足する」と分析しました。この分析は，当時の乳児保育にかかわる保育者のきびしい労働実態をかなり的確にとらえていたと思われます。

　乳児保育についてだけみても，「よりよい処遇を行う」には控えめに見積もっても「保母１人が不足する」という深刻な実態は，障害児保育のとりくみも困難にしたようです。つくし保育園長の鈴木弘一もいうように，「０歳児９人に保母１人，７人に１人という劣悪な保育条件がまかりとおっているときに，なんといっても手のかかる障害児をなんの保障もなく受け入れることは，本当にたいへんなこと」だっ

87

たのです（鈴木（1984）地域に根ざす障害児保育－大津市の場合．障害児教育実践体系4：乳幼児期．労働旬報社．327-346）。

　また，1970年前後，長時間保育（「延長保育」）は，その是非を議論する段階から実施段階へと移行しつつありました。つくし保育園でも，「働くお母さんたちの生活を守るため」には「就労時間プラス通勤時間」にあうような保育時間が求められるという「社会的な必然性」をふまえて，開園以来7時半から18時半まで11時間開園していました。そうしなければ，「今つくしを利用して・・働いている（正社員の）母親たちは，たちまち，会社をやめるか，臨時工にならざるを得ない」のでした。つまり，当時の国の雇用政策や企業の「労働力確保」策のもとで，女性・母親の労働と生活をどう守るかという「つばぜり合いが保育所を舞台にして行われて」いたのです（つくし保育園父母の会だより．14（1968.10.2）／清水住子（1975）長時間保育を考える．滋賀保問研事務局．しが保問研．14．1-3／清水住子（1981）私と保育．滋賀保問研事務局．しが保問研．64．1-3（滋賀保育問題研究会編（2022）滋賀保育問題研究会機関紙　育ち合い．合本．321-323）。

　実際，「延長保育」に対する親の強い要望と実際の保育時間とのギャップはとても大きく，長時間保育実施のための保育条件も極めて貧弱でした。このギャップを生み出した最大の原因は，「児童福祉施設最低基準」に規定された保育時間「8時間原則」とその「原則」にもとづいた措置費決定の仕組み（8時間×22日分）でした。8時間を超える保育時間を実現しようとすると，それは直接保育者の保育・労働条件にはねかえります。

　ある調査によれば，超勤や時差出勤（「平常」「早出」「準遅番」「早出・遅番」）で対応するため，勤務時間が複雑化しました。また，長

時間労働も避けられず，平常勤務日は8時間30分労働でしたが，その他の勤務日は9時間・9時間30分・10時間30分労働ということもありました。しかも，これだけ長時間労働をしながら休憩がきちんととれなかったのです。同調査によれば，休憩時間に「休めないこともある」「休めない」という人が回答者の75％もいました。「休める」場合も「子どもの側で」が67％であり，多くの保育者が心身共に「休める」状態になかったのです。こういう実態は広範に存在し，保育者たちは朝から夕方まで長時間子どもたちの中にいるため，「とても持たない」と悲鳴を上げていました。あるいは，「朝・夕の時間外保育（特に夕方の保育）は国の最低基準さえもまったく無視された状態の中で行われ，保母1人に対する児童数は倍以上になり，全く危険な状態の中で保育している」状況でした（無署名報告（1968）三多摩公立における保育・保母の実態調査．さんりんしゃ．2．7-16）。また，職業病（頸肩腕症候群，腰痛症）も多発し，休職・退職する人が続出していました。

　そういう保育の条件と勤務の実態のなかで，障害児を受け入れていくことは非常に困難だったことが推測できます。

9　障害児保育が制度化（1974）される以前において，障害児が保育所・幼稚園に入園できるのは関係者にとって朗報でした。しかし，その反面で，「Sさんはいいね，うちではとても14000円は負担できない"」などと言われることもありました。また，そういわれた保護者は，「精神的にも経済的にも大きな負担を背おったまま」子どもを園に託さざるをえなかったのです（滋賀・つくし保育園（1972）ゆみちゃんの記録（下）．ちいさいなかま．10．61-67）。

10　先の神奈川県小児療育センター調査（1972）によれば，「入園の『条件』」に関する質問項目について85園が回答しましたが，その回答の割合が高かった上位4項目は以下の通りでした。すなわち，「（障害の）程度による」17園（20.0％），「集団生活が可能であるならば」16園（18.8％），及びこれらと「裏腹の関係」になる「保育者の負担がなければ」17園（20.0％），「園の経済的，設備などの負担に余裕がない」11園（12.9％）の4項目でした。

　　茂木俊彦は，この結果について，「『子どもが障害をもっているから』という理由のみで拒否的なのではなく，むしろ，そのような子どもを含んでの保育の成立に不安があるため」に，障害乳幼児の受け入れに消極的になるのではないかと分析していました（茂木（1975）障害児保育論．さ・さ・ら書房．127）。

11　清水らが，障害児がクラスの「一員」になっていくことと，その子への「特別」の支援とは，いずれも大事であるということを実践の中で深く学んでいったことにも注目しておきたいと思います。たとえば，1972年に入園した「脳性麻痺による肢体不自由・発達遅滞」という診断名をもつCちゃんの場合，「原則として障害児のために特別の日課をつくるのではなく，クラスの一員として位置づけ」，同時に「ぞう2くみ（4・5歳混合クラス）のなかまであるとともに，歩行の獲得ということもあって月火水の午前中の課業の時間は，こうさぎぐみ（1歳児）で生活する」ようにしました。

　　同時に，1974年に入園してきた自閉症のFちゃんのケースにも注目したいと思います。というのは，それまでは，「障害の違い」をよく知らないまま，「障害児も1人の子どもであることを重視して，みんなといっしょに生活し，同じようにあつかうことをモットー」にして

保育していました。つまり，「障害児の『児』のほうに視点」をおいて「元気な仲間のなかに強引にでもひっぱりこんで保育して」いたのです。しかし，そういうやり方によってFちゃんは発作やぜんそくが起こり，長期間休まなければならなくなりました。その体験や大津市の健康センターの医師・専門家チームとの連携を通して，「『障害』を軽視することは実は『児』のほうをも破壊する」ことに気づきました。つまり，「障害児も1人の子どもであることを重視したうえに，さらにその子の障害について的確に対処してはじめて，1人の子どもがたいせつにされたことになる」ということを学んでいったのです。AちゃんやCちゃんやDちゃんのケースは，そのプロセスでのとりくみでした。

　また，このような障害児を含む子どもたちの発達理解と診断および集団保育の意義については，田中昌人・田中杉恵の両氏とその発達理論にも多くを学んだそうです（清水住子氏への聞き取り，2017．8．29-30/2017．11．17）。

12　この子ども像は，乳児の保育でも共有されていきました。たとえば，1969年度の1歳児クラスでは，10月頃から「子どもたちのぶつかり合いが，ずいぶん激しくなり，その状態をみていると，真に弱肉強食の世界の厳しさを感じさせられる」ようになりました。担当保育者たちは，このぶつかりあいをどうしていくかについて話しあいをもち，「自分の気持ちをはっきり出し，同時に相手の要求も聞ける」という「つくしの子の目標」の1つを1・2歳にどう具体化していくか，という観点から保育のあり方を検討していきました（11月．保育の話し合い．"大きくなるこうさぎたち"の実践記録．1969．1-3）。

13 「つくし保育園30周年座談会」(1995) のテープ起こし原稿. なお, この「つくし保育園30周年」の記念誌は園の事情で刊行されませんでした。ここでは, 清水住子氏の手元に残されていた「座談会」のテープ起こし原稿を元に引用しました。

14 『荒地』. 172. この提起は,「通常」の教育に障害児を「接近」させ「統合」するという当時のインテグレーション論の「限界」(河合隆平 (2021) 教育におけるインクルージョンとは何か. 季刊保育問題研究. 309. 30-31) を超えていく視点を内包していたといえるかもしれません。

15 清水は, この小学校の先生が誰かは「覚えていない」といいます (清水住子氏への聞き取り. 2017. 11. 17)。ただ, 当時有名な小学校教師であり「(影響力が) すごかった」(書面での質問への回答. 2018. 6. 1) という斎藤喜博の影響があるかもしれません。斎藤は,「劣生がいない教室, 劣生などいなくなるような教育」の重要性にふれた小論のなかで,「学級の悪い雰囲気が・・劣生群をつくり出しているのであって, それらの子どもを劣生としてあなどる子ども自身, ならびに指導者自身こそ, 正しい社会における劣等生」であると喝破していました (斎藤 (1941) 私の組の教育. 斎藤喜博全集. 第1巻. 国土社. 1972. 9-14)。

　この「劣生のいないクラス」とは, 清水のいう「さびしい人のいないクラス」と同じく,「(正しい) 社会」や集団づくりの観点を示唆したものと言えます。

　また, この提起には, 清水自身の小学校時代の体験が反映している可能性もあります。というのは, 清水が小学校の5年生・6年生

（1948〜49年）の頃，「若い男の先生が『給食の民主主義と演劇の民主
主義と少数の民主主義と，この３つが保障されないと民主主義でな
い』っていうこと教えてくれた」そうです（聞き取り．2017．11．
17）。こういった学びを背景にして，「集団の中にはかならず少数の方
がいるわけで，どれだけその少数が保障されるかをよく考え・・力の
強いほうからばかりものをみない」ことが，保育にとっても大事だと
考えていました（清水住子（1989）「実家」のような保育園を．現代と保
育．21．ひとなる書房．76-90）。

16　障害児がクラスの「はみ出し者」「厄介者」になるのではなくその
「一員」になる保育，「問題をもつ子を排除する保育」ではなく「問題
児をつくらない保育」，あるいは「さびしい人がいるから助けるので
はなく，さびしい人のいないクラスをつくろう」という一連の提起
は，今日の福祉・ケアの原理論と実践が直面する「排除の経験に・・
つながらない」ような社会的「包摂」（三井さよ（2018）はじめてのケア
論．有斐閣．129-130）のありようを探るという課題に対する，保育実
践史の地平からの貴重な示唆といえるでしょう。

17　保育者の中には，就職後の園の保育を通して，保育者養成校の教育
によって形成された自らの保育園（保育）観と向き合い，「生活・・が
基盤」であり「生活を基礎」とすることが保育園保育の基本だという
ことに気づいていった人たちがいました。
　その１人が，共同保育所時代のつくし保育園につとめ，１歳から３
歳未満の子どもたちを担当した「保母１年生」でした。この「保母１
年生」にとって，つくし保育園の保育は「想像していた保育とは余程
かけ離れたもの」でした。というのは，３歳近くになってもまだおむ

つやおもらしをする子どもたちと格闘する日々が続く中で,「私はここへおしっこの世話に来たんと違うぞ」と叫びたくなるような日が何度もあったからです。

　「保母1年生」がそう感じた背景には,養成校の教育の影響があったそうです。というのは,「幼稚園での実習や幼稚園化した保育所での実習,学校での講義」を通して,「学校前の予備校的な教育,それこそ恰好のいい保育のあり方」だということしか「耳にしたことはなかった」からです。この「保母1年生」にとって「ウンチとおしっこの世話」に追われる保育は「非常に辛い仕事」となり,そのために「『又ウンチたれて』『又おしっこしたの』とブツブツ云いながらパンツを変えて」やるというところに追い込まれていきました。

　しかし,その後,「子どもがそしてこの財政困難な共同保育所が,保母の仲間が・・保育に対する考え方を変えて」くれたといいます。そして,「今まで恰好いい保育・・を夢みて」いた自分を恥じ,「本当の保育とは何だろうかを考えるようになりおしっこの世話も苦痛ではなくなった」といいます(各クラスから(2歳半～3歳半:こいぬぐみ担当).共同保育の会・つくし保育園.滋賀県つくし保育えん一つたい歩きの1年)。

　ここではまず,「学校前の予備校的な教育」とは何かが問題となりますが,「一斉保育」や課業に重点を置いた保育の可能性があります。この保育観の問題に気づき,オシッコやうんちの世話に象徴される「本当の保育」の意味に注目していった「保母1年生」の体験,そしてそのことを気づかせてくれた仲間の保育の積み重ねの上に,「生活を基礎」とした障害児の保育が築かれていったといえるでしょう。

　もちろん,当時の養成校の講義や実習については,「保母1年生」がいうような実態があったのか,本人の理解のし方の問題ではないか

という点について今後検討が必要です。しかし，保育者養成のあり方が，保育園（保育）と学校（教育）との違いを見えにくくし，養成校の学生のなかに「学校前の予備校的な教育・・こそ恰好のいい保育のあり方」であるという意識を形成した可能性があります。いいかえれば，つくし保育園をはじめ全国の保育園は，「本当の保育」を探求するために，この「学校前の予備校的な教育」こそ「恰好のいい保育」という保育園（保育）観を超えていくことが求められていたかもしれないのです。

　この点とかかわって，保育は「託児」ではない，保育者は「オシッコ，ウンチの始末屋」ではないというとらえ方が，「教育（者）」という面に重点を置く保育（者）観を生み出したり，強化していったのではないかということも，今後の検討課題です。

18　この問題は当時の保育界が直面した問題の1つでした。たとえば，当時の「延長保育」実施園では，保育時間の長時間化に伴い，「設定保育中心」の保育からの転換が問題になりました。「設定保育中心」の保育は「課業的時間」もしくは「一斉保育」中心の保育とほぼ同じですが，民間の保育研究団体の機関誌には，この問題に関心をもつ保育者の投稿や，研究会での議論のポイントなどが紹介されていました。すなわち，「設定保育中心のカリキュラムが横行」し，「自由遊びの中での子供達の興味や関心，友達関係などを知ろうとせず子供達の本当の要求をつかんでいない」ことが「設定保育の中味を力ないもの」にし，「子供達をもしばり無気力な子供をつくりだし」ているのではないかということが問題になっていました（国領礼（1974）保育とは何か─専門職としての課題に迫られる堺市．大阪保育問題研究．114）。あるいは，「設定保育の中では，保母は保育をしているという感じが

あるが，一方，自由あそびの中でこそ，子どもの本当の姿が出ているように思う」という問題提起もありました（三多摩公立保育所連絡会（1974）さんりんしゃ．総集編．52）。

19　保育所や幼稚園・学校が整備されることによって，子どもがおとなの生活から切り離されるということについては，歴史的な背景があります。この点について，発達心理学者ロゴフは，発達と歴史・文化との関連に注目し，次のように述べています。

　　つまり，産業革命以前，「子どもたちはもっとさまざまな家族の仕事や社会生活の中で，家族たちと協力して働くのが普通」でした。しかし，「工業化した経済が拡大」したことで，「子どもの労働力があきれるほどひどいかたちで利用され」るようになりました。そのため，「子どもたちを経済的搾取から守り・・大人との経済的競争の外に」おくことが社会的課題になり，児童労働の禁止が国際的な潮流となっていきました。そして，「子どもたちが大人の活動のお手伝いをするという・・代わりに，将来成人の活動に加われるよう子どもに準備させることに特化した場」がつくりだされました。その「最たるのもが学校」だといいますが，その「場」には保育所・幼稚園も含まれるでしょう。こうして，「子どもたちを指導する（instruct）目的で創り出された子どもに焦点を当てた特別な場所で，大人が熟練した技能を子どもたちに教える（introduce，teach）」ことを目的として学校などが組織されたため，子どもたちが家族やコミュニティの仕事や日常生活に参加するなかで自ら「学ぶ（learn）」「育つ（coming up）」機会が減っていくことになったというのです（Barbara Rogoff（2003）The Cultural Nature of Human Development. Oxford University Press. 135-141, 323-324（バーバラ・ロゴフ／當眞千賀子訳（2006）文化的営みとして

の発達．新曜社．170-180，426-428）。

20　この「（リズムやおゆうぎを）教え込む」ことこそ「子どもの教育」
　　だとみる保育からの脱皮は，「日常生活」による「自然」な教育力を
　　生かすという観点をベースにしていました。しかし，この保育からの
　　脱皮は，リズムや身体「表現」の意義とは何かという観点からも模索
　　されていました。
　　　たとえば，「（リズムやおゆうぎを）教え込む」保育からの脱皮は，
　　戦後の幼稚園教育においても重要な課題でした。というのは，戦前あ
　　るいは戦後初期は，「どこの幼稚園でも，お遊戯は，旧態依然，既成
　　遊戯を教えて」いましたが，戦後の学校教育法制定（1948）にともな
　　って，「音楽，遊戯，絵画その他の方法により，創作表現に対する興
　　味を養うこと」という新たな「幼稚園教育の目標」（78条）が示され
　　たからです。この「創作表現」に関連して，「お遊戯も絵も，自由表
　　現でなくてはいけない，教えてはならない」という風潮が生まれまし
　　た。「自由に憧れる保育者」としては，この趣旨は「当然のことと思
　　うし，切に望むところ」でしたが，「実際にはどうするのか」がわか
　　りませんでした。そのため，保育の現場はたいへん混乱し，いろいろ
　　な模索が生まれました。
　　　その挑戦者の1人が広岡キミエ（1912-2012）であり同僚の保育者
　　たちでした。大阪市立幼稚園の教員であった広岡らによれば，1950年
　　代前後の大阪市の幼稚園教育界では，「創作表現」の実践的な模索に
　　ついて「性急派」と「中間派」の2つの流れがあったそうです。
　　　前者は，「一切の制約を解いて自由に動かそう」という観点から，
　　ピアノをひいて「子どもに自由に動けとすすめる」ような試みでし
　　た。しかし，広岡の見るところ，「（子どもの）内に思惑もないのに動

けるものではありません」でした。後者は，「何もないところでいきなり創れといっても，それは酷」なので，「最初は少々手引きをしてやるが良い」という観点から，「花，風，雨，波，太陽等，お話や歌の中によくでてきそうなものをとりだして，一応基準的な形を教えて」おき，そのいろいろな「型のストック」を「必要に応じてとりだして組み合わせる」という試みでした。しかし，これも「心不在のバラバラな部分をつなぎ合わせて形を整えてみても，命は通いません」し「お遊戯の変形」でしかありませんでした。

　広岡らもまた，この流れに組み込まれていろいろな壁に直面しますが，「表現と遊戯の違いをくり返し確認しながら」活路を求めていきます。その後，いろいろな模索を経て，1960年代の半ばになって，「お遊戯から転じ」た「動きのリズム」の問題を整理しました。つまり，「身体の動きをまず考え・・どんなに良い動きか，どのように楽しく動けたかが先に立ち，内面をみることを忘れ」てしまいがちだと。そのうえで，「表現」としての身体の動きやリズムの意義を，次のようにとらえていきました。つまり，幼児の場合「内面の動きはごく小さくて，外側の動きに眼を奪われがち」ですが，「この小さい心を抜きにすると，動きはすぐに萎え衰えておもしろくなくなります。小さくとも内面こそが命であり，原動力なのです」と（広岡キミエ（1992）表現保育とは何か‐実践史的探求のあゆみと展望．広岡キミエ・渡邉保博編．真実の表現を求めて．ぎんのすず．9‐40）。

　こうして，「外側の動き」「動きの型」にとらわれた「（リズムやおゆうぎを）教え込む」保育を超えて，「内面」の思いを育むことを核とした身体「表現」（身ぶり表現）の保育への転換を図っていきました。

21　和田實は，「保育は自然的生活其もので，之を教育的に誘導しよう
　　とするものであるのに，学校は文化財の教授に因って，意識的に人為
　　的に教導しようとするもので，根本的に性質の異なって居るもの」だ
　　と述べていました（和田（1937）保育課程と保育案：幼児の教育37（8・
　　9）．8-13/ 和田（1954）幼稚園にカリキュラムは必要か～和田先生の御意
　　見を拝見して．幼児の教育．53（2）．14-29）。また，倉橋惣三は，学校
　　は「教育の場」「教育を受けるに都合よくこしらえられた場」である
　　が，幼稚園は「生活の場」「幼児たちが来て『生活』している」場だ
　　とみていました（倉橋（1947）幼稚園の生活形態．幼児の教育．46
　　（9）．27-31）。

引用文献

1）厚生労働省．保育所保育指針解説．平成30年２月．5／中央教育審議会初等中等教育分科会教育課程部会幼児教育部会「幼児教育部会における審議の取りまとめについて（報告）」平成28年８月26日．3－4／中央教育審議会初等中等教育分科会教育課程部会教育課程企画特別部会「教育課程企画特別部会における論点整理について（報告）」．平成27年８月26日．5

保育の「学校化」に関する先行研究の整理については，渡邉保博（2020）保育の"学校化"について考える（季刊保育問題研究．307．新読書社．8 -23）を参照して下さい。また，本稿では原則として，行政上の名称としては「保育所」を用い，実践上の名称としては「保育園」を用います。

2）福元真由美（2016）保育実践と保育方法の展開．保育学講座Ⅰ保育学とは－問いと成り立ち．東京大学出版会．125-145

3）Kaga, Y., Bennette, J., &Moss, P.（2010）Caring and Learning Together. Paris, UNESCO. 8-9

4）小玉亮子（2008）PISAショックによる保育の学校化－「境界線」を超える試み．泉千勢・一見真理子・汐見稔幸．世界の幼児教育・保育改革と学力．明石書店．69-88

5）Bennett, J. & Kaga, Y.（2010）The integration of Early Childhood systems within Education. International Journal of Child Care and Education Policy. 4（1）. UNESCO. 35-43

6）本吉圓子（1979/2009）私の生活保育論．フレーベル館．12-13

7）平井信義（1973～4）混合保育をみなおそう．保育の友．全国社会

福祉協議会. 12-15

8）柳治男（2005）〈学級〉の歴史学. 講談社選書. メチエ. 148-150 ／ 木村元（2015）学校の戦後史. 岩波新書. 188-193

9）清水住子（1996）子どもをはぐくむ保育とは. 兵庫県保育運動連絡会. 36-44

10）清水民子（2010）子どもがもってくる「生活」「社会」－荒地に育つつくしんぼ. 宍戸健夫ほか編著. 保育実践のまなざし. かもがわ出版. 100-105

11）福元真由美（2015）解説4 地域と保育園. 太田素子監修・福元真由美ほか編集. 戦後幼児教育・保育実践記録集. 17：子どもの生活と仲間関係－自立を育む保育と地域社会. 日本図書センター. 1-21

12）宮下俊彦（1979）荒地に育つつくしんぼ. ふだん着の保育. 全国社会福祉協議会. 96-98 ／ 宍戸健夫（1994）保育の森－子育ての歴史を訪ねて. あゆみ出版. 196-204 ／ 田中良三（1987）障害児保育. 保育幼児教育体系. 12. 労働旬報社. 115-132 ／ 高田智行（2011）大津市の障害児保育について. 全国保育問題研究協議会編. 困難をかかえる子どもに寄り添い共に育ち合う保育. 新読書社. 54-63

13）清水（2009）保育問題を解決することが保育内容充実に. 鈴木弘一・星操編著. 土と水と太陽と－つくし保育園43年のあゆみ. 243-244

14）清水住子氏への聞き取り（2017. 8. 29～8. 30）

15）清水住子氏への聞き取り（2017. 11. 17）

16）前掲（14）

17）いづみ保育園（1982）いづみ. 2-4

18）清水住子（1990）保育実践－職場の職員集団づくりをどのようにしてきたか. 季刊保育問題研究. 126. 新読書社. 118-130

19）大國久美子（1997）子どもの食事作りの現場から"身体づくり"を

考える．子どもの身体をつくる食・運動．新読書社. 71-72

20）浜口順子（2003）「周辺的なこと」「偶発的なこと」からの保育の再構成．日本保育学会第56回大会研究論文集. 16-17

21）いづみ保育園 1978度中間総括報告（2）給食：1978年8月21日〜31日までの10日間栄養集計（幼児部）

22）大泉溥（2005）実践記録論への展開 − 障害者福祉実践論の立場から．三学出版. 19-22

23）つくし保育園のあゆみ編集委員会（1967）つくしほいくえんのあゆみ − 苦難の道. 38

24）宮下俊彦（1975/1979）障害幼児の保育．全国社会福祉協議会. 63-70

25）茂木俊彦（1975）障害児保育論．さ・さ・ら書房. 128-129

26）清水住子（1976）．荒地に育つつくしんぼ．さ・さ・ら書房. 173-174．以下『荒地』と略

27）東京都（1974）児童のシビル・ミニマムに関する調査．全社協保育協議会編．障害児保育を考えるために．全国社会福祉協議会. 19-20

28）田中謙（2020）親の会による幼児グループの創設過程とその特質 − 東京都小金井市「福祉館幼児グループ」におけるアクター関係を中心に．幼児教育史研究. 15. 22-23

29）「保育所保育指針」総則. 1965

30）滋賀・つくし保育園（1972）ゆみちゃんの記録（下）．ちいさいなかま. 10. 61-67

31）清水住子（1974）大津市における障害児保育．全社協保母会委託研究報告．実践研究．第7集. 68-73 /『荒地』. 175-185

32）高田智行（2011）大津市の障害児保育について．全国保育問題研究協議会編．困難をかかえる子どもに寄り添い共に育ち合う保育．新読

書社. 54-63

33）『荒地』. 181-185／前掲（31）. 73-77

34）田中昌人（1967）つくし保育園に期待するもの. 前掲（23）. 50-52

35）鈴木弘一（1974）大津市における障害児保育. 全国私立保育園連盟. 実践研究論文集：紀要第6集. 55-58

36）前掲（31）. 72-73

37）鈴木弘一（1976）チエちゃんとぞうぐみのなかまたち. 青木嗣夫・清水寛編. 君がいてぼくがある. ミネルヴァ書房. 41-42／前掲（31）. 68-69

38）前掲（24）. 60-63

39）鈴木（1974）大津における障害児の制度. 全社協保育協議会編. 障害児保育を考えるために. 全国社会福祉協議会. 83

40）宮下俊彦（1979）ふだん着の保育. 全国社会福祉協議会. 96-98

41）前掲（15）

42）前掲（31）. 68-69

43）清水住子（1978）障害児保育の実践 - 大津市の実践を中心に. 植山つる・浦辺史・岡田正章編. 戦後保育所の歴史. 全国社会福祉協議会. 250-255

44）同上

45）前掲（24）. 68-70

46）大泉溥（1999）生活実践の記録をつくる. 寄宿舎教育研究会. 46-52

47）『荒地』. 129-134

48）清水住子（1975）波風が立つのをおそれない - 障害をもつ子を受け入れるために. 保育の友. 24（4）. 全国社会福祉協議会. 14-16

49）『荒地』. 129-134

50）同上. 151-152

51）鈴木弘一（1966）つくし保育園の始まり．共同保育の会・つくし保育園．滋賀県つくし保育えん－つたい歩きの1年．

52）松村圭一郎（2021）くらしのアナキズム．ミシマ社．162-165, 177

53）山中憲一（2005）寄宿舎実践に求められるもの．実践がいま，語りかけるもの．三学出版．57-67

54）鈴木弘一（1984）地域に根ざす障害児保育－大津市の場合．障害児教育実践体系4：乳幼児期．労働旬報社．330-331

55）前掲（53）．57-59

56）『荒地』．135-136

57）前掲（48）．14-16 / 鈴木．前掲（37）．24

58）前掲（43）．250-255

59）滋賀・つくし保育園（1972）ゆみちゃんの記録（上）．ちいさいなかま．9．6-13

60）前掲（25）．131-135

61）鷲田清一（1997/2008）現象学の視線．講談社．26-28, 49-50

62）宍戸健夫（1994）保育の森－子育ての歴史を訪ねて．あゆみ出版．196-204

63）『荒地』．124-128

64）前掲（24）．66-68

65）前掲（59）．6-13

66）『荒地』．152-161

67）清水住子（1973）おかわりちょうだい．『荒地』の草稿ノート．16-27

68）前掲（37）．19-58

69）前掲（43）．250-255 / 前掲（30）．61-67

70）『荒地』．171-173

71) 各クラスから（3歳〜5歳：こぶた組担当）. 前掲（51）

72)『荒地』. 34-39

73)『荒地』. 24-39

74) 前掲（67）

75)『荒地』. 67-119

76) 同上

77) 前掲（15）

78) 前掲（22）. 64-65

79) 清水住子. 保育園における「生活」計画を考える. 保育研究所第13回研究集会（1991. 11. 17-18）配布資料. 17-21

80) 前掲（67）

81)『荒地』. 156-160

82) 前掲（15）

83) 前掲（14）

84)「つくし保育園30周年座談会」（1995）テープ起こし原稿. 16-17

85)『荒地』. 56-66 ／ つくし保育園（1972）つくしのももたろう. 昭和47（1972）年度5歳児保育の記録（草稿）. 3 - 6，10-11

86)『荒地』. 212-227 ／ 清水住子（1975）子どもの生活と保育時間. 入門シリーズ・保育の理論と実践Ⅱ：よりよい保育をめざして. 大阪保育運動連絡会. 76-77

87) 清水住子（1975）子どもの生活と保育時間. 同上. 79-81 ／『荒地』. 196-199

88)『荒地』. 94-119

89) 前掲（6）. 12-13

90) 前掲（86）

91) 鈴木聡（2002）世代サイクルと学校文化. 日本エディタースクール

出版部. 66-67

92）『荒地』. 123-124

93）同上. 160

94）寄宿舎教育研究会（2000）寄宿舎教育の課題と展望. 58-63

95）前掲（30）. 61-67

96）前掲（86）. 68-73 ／つくし保育園（出版年不詳）つくしだより－子どもたちの　しょくせいかつ. No.3

97）いづみ保育園. 1982年度総括会議（1983.2. 19-20）. 総括報告. 10 ／清水住子（1982）朝夕の保育は豊かな海と陸の波うちぎわ. ちいさいなかま. 139. 19-23 ／清水住子（1989）みんなと私. 季刊保育問題研究. 120. 32-33 ／清水住子（1995）保育所保育とはなにかを問いつづけて～保育の中の「生活」. 季刊保育問題研究. 156. 27-34

98）萩原久美子（2019）貧困対策における保育の再定位に向けて－家族のライフコース、労働とレジリエンス. 子どもの貧困2：遊び・育ち・経験. 明石書店. 301-305, 309-310

99）同上. 305-307, 288-290

謝　　辞

　本研究に関する貴重な史資料の閲覧・収集にあたって，清水住子氏及び故清水益實氏に格段の便宜を図っていただいた。また，保育園の実践にかかわる史資料の利用と研究成果の公表については，清水住子氏が勤務したつくし保育園（大津市），いづみ保育園（堺市）に大変お世話になった。ここに記して深謝したい。

　本書の刊行にあたっては，新読書社の伊集院郁夫氏の多大な励ましとタイトル・内容について的確なアドバイスをいただいた。深く感謝の意を表したい。

　また，執筆過程で揺れることもあった筆者を支え続けてくれたパートナーの渡邉静代にも感謝したい。ありがとう！

付　　記

＊本研究は，文部科学省科学研究費助成事業（「わが国における異年齢の保育の実践史的研究」／2016-2019年度／基盤（C）／課題番号16K04577），及び2018年度佛教大学教育職員研修（研究テーマ：わが国における異年齢の保育の実践史的研究）の成果の一部を含んでいる。

著者紹介

渡邉保博（わたなべやすひろ）

1951年　山口県生まれ　京都大学大学院教育学研究科修士課程
　　　　修了。三重大学助教授、静岡大学教授、佛教大学教授
　　　　を経て、現在、静岡大学名誉教授

著　書　『真実の表現をめざして』ぎんのすず幼教出版（共著）
　　　　1987.『教育方法学の再構築』あゆみ出版（共著）
　　　　1995.『生活を大切にする保育の胎動』新読書社
　　　　1998年.『保育計画のつくり方・いかし方』ひとなる
　　　　書房（共著）2004年.『親と子と共に生きる保育』新
　　　　読書社（共著）2006年.『保育実践のまなざし』かも
　　　　がわ出版（共著）2010.『子どもの生活と長時間保育』
　　　　新読書社（共著）2019.

「さびしい人のいない」保育園づくりと
生活保育の探究
―学校との関係を問い続けたある保育園の実践史に学ぶ―

2023年2月3日　初版1刷発行

著　者　渡邉保博
発行者　伊集院郁夫
発行所　㈱新読書社
　　　　〒113-0033
　　　　東京都文京区本郷5-30-20
　　　　電話 03-3814-6791
　　　　E-mail info@shindokusho.jp　お問い合わせ
印刷所　㈱Sun Fuerza

ISBN978-4-7880-2182-2

ヴィゴツキー 著 柴田義松, 宮坂琇子 訳

ヴィゴツキー
教育心理学講義

菊判 341頁 3300円　　　　ISBN978-4-7880-4118-9

日本未公開のヴィゴツキーの論文。心理学の新しいデータと結びつけて教育過程の科学的理解の形成に寄与するという目的で書かれている。教育関係者、研究者必読の書。

ヴィゴツキー 著 広瀬信雄 訳 福井研介 注

子どもの想像力と創造
（新訳版）

菊判 181頁 2200円　　　　ISBN978-4-7880-4113-4

"教育される"とは、受身のものではなく、想像力の働きによって、創造へとつながっていく。絵、文学、演劇に例をとって、心理学的に追究。名著。

保育問題研究シリーズ　全国保育問題研究協議会 編

子どもの生活と長時間保育
～生活のリズムと日課～

編集委員：河本ふじ江・河野友香・清水民子・
　　　　　清水玲子・横井洋子・渡邉保博

A5判並製 180頁 1870円　　　ISBN978-4-7880-2147-1

親たちのぎりぎりの生活をぎりぎりの条件で支える保育者たち。しかし、子どもたちには「楽しい生活を」「自分の楽しみをつくりだせる生活の場を」と願って続けてきた保育実践を記録。現代の課題にこたえる一冊。

保育問題研究シリーズ　全国保育問題研究協議会 編

文学で育ちあう子どもたち
―絵本・あそび・劇―

編集委員：小川絢子・田代康子・徳永満理・
　　　　　西川由紀子・山﨑由紀子

A5版 224頁 1980円　　　　ISBN978-4-7880-2154-9

絵本を読んでいるときの子どもたちの楽しみや読みとり、読んだ絵本から展開する劇あそび、表現活動、紙芝居づくりなど、多様な表現活動に取り組む姿を紹介。豊富な実践と解説をもとに保育者同士で議論することで、園やクラスの子どもたち、保育者集団の魅力を活かした保育実践を生み出す。

元堺市立鳳保育所職員グループ 著 渡邉保博 解説

子どもの生活にいきる
リスクマネジメント（危機管理）
～命を大切に育む保育～

A5判 並製144頁 1650円　　　ISBN978-4-7880-1115-1

保育園で起きる事故から子どもを守るためにはどうするか。生を大切に育む保育の基本に立って、職員や保護者と話し合い取り組んだ軌跡。

麦の子保育園, 渡邉保博 著

親と子と共に生きる保育
保育を福祉の中に見すえて

A5判並製 228頁 1980円　　　ISBN978-4-7880-0185-5

現代の家族と子どもの生活実態と要求にかみあった保育とはいかにあるべきか。研究者と保育者の共同研究によって生まれた実践記録集。